看護と
医療技術者の
ための

ぶつり学

第2版

横田俊昭 著

共立出版

第 2 版への序

　本書は初版発行から10年を経た．この第2版では時代の流れにあわせて一部に新しい事柄を付け加え，誤りの修正を行った．

　理科離れがいわれて久しいが，特に物理学は自然科学の中で難解であるとして敬遠される傾向にあることを残念に思っている．

　物理学は，ある現象を整理・分析し，そこに隠されている真理を見出すという点においては優れて進歩した学問であると考えられる．これは，パターン認識化し，どの式をあてはめれば解答が得られるかをひたすら追求しようとする物理学の中には見出せないものである．いかに多くを記憶し，それを効率良く紙の上に吐き出すかということをやめて，一つの事柄に対して，周辺を覆っているベールを一つずつはぎ取り，中に隠されている基本法則を見出す訓練を続けてみよう．すると，自然は複雑に見えて以外にシンプルな側面を持っていることが見えてくるであろう．

　物理学で見出された様々な事柄は直ちに役立たないことが多いが，長い年月の間にはそれらの原理が私達の身近な所で用いられていることが数多くある．医療の分野での例を挙げれば，古くはレントゲン撮影に始まり，電気メス，レーザーメス，超音波診断，CTスキャン，NMRなど枚挙にいとまがない．また，日常生活の中では，ラジオ，テレビ，ビデオデッキ，電子レンジ，携帯電話など数多く存在する．身近な器具の中に応用されている物理学の法則を知り，これらの器具をさらに有用に活用できるようになる手助けになれば幸いである．

　本書を通して自然現象の中に隠された物理学の素晴らしさに触れる楽しさを知るきっかけおよび奥深さに触れる契機になれば幸いである．

　最後に，本書第2版の出版の機会をあたえてくれた共立出版㈱の佐藤清俊氏，斉藤英明氏をはじめ多くの方々の励ましがあったことに多大な感謝をいたします．

2003年10月

横　田　俊　昭

は じ め に

　日常の会話で「あなたは何を教えていますか？」と尋ねられる．それに対して「物理学を教えています」と答えると，たいてい「そのような難しいものを教えているのですか，高校のときには物理と聴いただけで頭が痛くなりました」と，よくいわれる．物理学が難しく頭痛のするものというイメージにはいつも寂しい思いをしてきたものである．

　本書は，医療現場にあって，病と戦っている患者に絶えず接している看護師を目指して学んでいる諸君に対する平易な物理学のテキストとして書き下ろしたものに，それらの読者だけでなく，医療技術者をめざす読者にも，わかりやすく身近な物理学を学んでもらうため一部修正を加えたものである．

　本書では高度な数学的な知識がなくても，高等学校で物理学を学んだ経験がなくても理解できるように努めている．所々に医療の現場で行き当たる事柄について，物理学的な側面からの考察を加えるように努めている．

　近年特に物理学は自然科学の中で難解であるとして敬遠される傾向にあることを残念に思っている．

　物理学は現象を整理・分析し，そこに隠されている真理を見出すという点においては優れて進歩した学問であると考えられる．これは，パターン認識化し，どの式をあてはめれば解答が得られるかをひたすら追求する物理学の中には見出せないものである．いかに多くを記憶し，それを効率良く紙の上に吐き出すかということを止めて，一つの事柄に対して，周辺を覆っているベールを一つずつはぎ取り，中に隠されている基本を見出す訓練を続けてみよう．自然は複雑に見えて以外にシンプルな側面を持っていることが見えてくるであろう．

　本書は，冒頭に述べた，物理学に対するイメージを払拭すべく，在来の教科書とは趣を異にし，全く自己流の教科書として書き上げたものである．多少でも意図が汲み取って頂けるのであれは幸いである．

　また，本書を通して，自然現象の中に隠された物理学の素晴らしさに触れる楽しさを知るきっかけになれば幸いである．

はじめに

　筆者の浅学のためにやや的外れになっていないか恐れている．読者の指摘による研鑽によってより良い内容となることを願っている．

　さらに，この本の出版にあたって共立出版㈱の斉藤英明氏，佐藤清俊氏をはじめ多くの方々の励ましがあったことに多大な感謝を致します．

1993年1月1日

横田　俊昭

目　　次

0章　物理学とは

0.1　物理学の起源 …………………………………………………… *1*
0.2　物理学の法則 …………………………………………………… *2*
0.3　物理学の分野 …………………………………………………… *3*
0.4　日常に活かされる物理学 ……………………………………… *3*
0.5　医療に携わる者にとっての物理学 …………………………… *4*

1章　単位系

1.1　基 本 単 位 ……………………………………………………… *7*
1.2　組 立 単 位 ……………………………………………………… *8*

2章　力と釣り合

2.1　力 と は ………………………………………………………… *9*
2.2　力 の 向 き ……………………………………………………… *9*
2.3　力の釣り合，力のモーメント ………………………………… *11*
2.4　力のモーメントの応用，テコ ………………………………… *13*
2.5　滑　　車 ………………………………………………………… *15*
2.6　安定性，重心 …………………………………………………… *16*

3章　物体の運動

3.1　位置，座標 ……………………………………………………… *19*
3.2　速度，加速度 …………………………………………………… *20*
3.3　速さと速度 ……………………………………………………… *21*
3.4　力と速度，加速度 ……………………………………………… *23*
3.5　運動の法則 ……………………………………………………… *24*

3.6　物体の回転運動 ………………………………………… 26
3.7　落下運動 ………………………………………………… 28
　3.7.1　自由落下 …………………………………………… 29
　3.7.2　放物運動 …………………………………………… 30
3.8　運　動　量 ……………………………………………… 31
3.9　衝　　　突 ……………………………………………… 33
3.10　仕　　　事 ……………………………………………… 35
　3.10.1　重力の下での仕事 ………………………………… 36
　3.10.2　斜面の応用 ………………………………………… 37
3.11　摩　　　擦 ……………………………………………… 37
3.12　エネルギー ……………………………………………… 39

4章　流体力学

4.1　圧　　　力 ……………………………………………… 43
4.2　圧力を測る ……………………………………………… 46
　4.2.1　マノメーター ……………………………………… 46
　4.2.2　血　圧　計 ………………………………………… 47
　4.2.3　ボンベの圧力 ……………………………………… 49
4.3　圧力を利用する ………………………………………… 50
　4.3.1　点滴装置 …………………………………………… 50
　4.3.2　水圧機，油圧装置 ………………………………… 51
　4.3.3　注　射　器 ………………………………………… 52
4.4　浮　　　力 ……………………………………………… 53
　4.4.1　浮力とは …………………………………………… 53
　4.4.2　浮力の医療への応用 ……………………………… 56
4.5　液体，気体の流れ ……………………………………… 57
　4.5.1　粘　　　性 ………………………………………… 58
　4.5.2　層　　　流 ………………………………………… 58
　4.5.3　ベルヌーイの定理 ………………………………… 59
　4.5.4　水槽の穴から出る水 ……………………………… 61

4.5.5　流れの速度を測る ………………………………… *61*
　　4.5.6　流れを利用する …………………………………… *63*
4.6　血圧―最高血圧と最低血圧 ……………………………… *66*
4.7　サイフォン ………………………………………………… *67*
　　4.7.1　サイフォンの原理 ………………………………… *67*
　　4.7.2　サイフォンの原理の応用 ………………………… *68*
　　4.7.3　毛管現象：接触角―濡れる・濡れない― ……… *68*

5章　振動・波動

5.1　振　り　子 ………………………………………………… *71*
5.2　バネの振動 ………………………………………………… *72*
5.3　日常見かける振動現象 …………………………………… *73*
5.4　波［波動］ ………………………………………………… *74*
5.5　波　の　種　類 …………………………………………… *74*
5.6　波　の　性　質 …………………………………………… *76*
5.7　電　磁　波 ………………………………………………… *80*
5.8　レンズによる像 …………………………………………… *84*
5.9　人　の　眼 ………………………………………………… *84*

6章　熱　学

6.1　温　　　度 ………………………………………………… *87*
6.2　熱　と　温　度 …………………………………………… *89*
6.3　温　度　計 ………………………………………………… *90*
　　6.3.1　水銀温度計 ………………………………………… *90*
　　6.3.2　アルコール温度計 ………………………………… *91*
　　6.3.3　その他の温度計 …………………………………… *91*
6.4　物質の状態変化 …………………………………………… *92*
　　6.4.1　状　態　図 ………………………………………… *93*
6.5　沸　　　騰 ………………………………………………… *94*
6.6　潜　　　熱 ………………………………………………… *95*

viii　目次

- 6.7　熱の伝わり方 ……………………………………………… 96
  - 6.7.1　伝　　導 ……………………………………………… 97
  - 6.7.2　対　　流 ……………………………………………… 98
  - 6.7.3　放射（輻射） ………………………………………… 98
- 6.8　気体の温度・圧力による変化 …………………………… 99
  - 6.8.1　温度による変化 ……………………………………… 99
  - 6.8.2　圧力による変化 ……………………………………… 100
  - 6.8.3　温度・圧力がともに変化するとき ………………… 101
- 6.9　断 熱 変 化 …………………………………………………… 102
- 6.10　熱 の 利 用 …………………………………………………… 102
- 6.11　動物の体温 …………………………………………………… 104

7章　電磁気学

- 7.1　電気の種類 …………………………………………………… 108
- 7.2　電荷に働く力 ………………………………………………… 108
- 7.3　電気を蓄える ………………………………………………… 111
  - 7.3.1　コンデンサーの容量 ………………………………… 112
  - 7.3.2　コンデンサーの接続 ………………………………… 112
  - 7.3.3　容量の単位 …………………………………………… 114
- 7.4　電気の流れ（電流） ………………………………………… 114
- 7.5　電圧と電場 …………………………………………………… 116
  - 7.5.1　電圧と電場 …………………………………………… 116
  - 7.5.2　交 流 電 圧 …………………………………………… 118
- 7.6　抵　　　抗 …………………………………………………… 119
- 7.7　電　　　力 …………………………………………………… 121
  - 7.7.1　ジュール熱 …………………………………………… 121
  - 7.7.2　ジュール熱の応用 …………………………………… 121
- 7.8　抵抗の接続 …………………………………………………… 122
  - 7.8.1　並 列 接 続 …………………………………………… 122
  - 7.8.2　直 列 接 続 …………………………………………… 123

- 7.9 人体と電気 ………………………………………………………… *125*
  - 7.9.1 身辺の電気 …………………………………………………… *125*
  - 7.9.2 人体の電気的特性 …………………………………………… *126*
  - 7.9.3 生体内の電気 ………………………………………………… *127*
  - 7.9.4 医療器具への応用 …………………………………………… *129*
- 7.10 電　　　池 ……………………………………………………… *130*
- 7.11 熱 起 電 力 ……………………………………………………… *132*
- 7.12 圧　電　気 ……………………………………………………… *133*
- 7.13 太 陽 電 池 ……………………………………………………… *134*
- 7.14 磁　　　気 ……………………………………………………… *136*
- 7.15 磁石に働く力 …………………………………………………… *137*
- 7.16 電流が作る磁場 ………………………………………………… *140*
- 7.17 電流が磁場から受ける力 ……………………………………… *142*
- 7.18 電 磁 誘 導 ……………………………………………………… *144*
  - 7.18.1 誘導起電力 …………………………………………………… *144*
  - 7.18.2 電磁誘導の法則 ……………………………………………… *144*
- 7.19 電磁誘導の応用 ………………………………………………… *147*
  - 7.19.1 変　圧　器 …………………………………………………… *147*
  - 7.19.2 再生ヘッド …………………………………………………… *148*
  - 7.19.3 発　電　器 …………………………………………………… *149*
- 7.20 電　　　波 ……………………………………………………… *149*
- 7.21 電気・磁気に関する実験 ……………………………………… *150*

8章　原子物理学

- 8.1 原子の構造 ……………………………………………………… *154*
- 8.2 原子核の安定性 ………………………………………………… *156*
- 8.3 放射線の正体 …………………………………………………… *158*
- 8.4 放射性元素の崩壊 ……………………………………………… *159*
- 8.5 放射線による障害 ……………………………………………… *161*
- 8.6 色々な放射線 …………………………………………………… *162*

8.7	放射線量の単位	*163*
8.8	放射線障害と被曝量	*164*
8.9	被曝線量と生理現象	*165*
8.10	原子力エネルギー	*166*
8.11	放射線の利用	*168*
	8.11.1 医療(診察)における利用	*168*
	8.11.2 治療に利用	*169*
	8.11.3 考古学での年代測定	*170*
	8.11.4 農作物への応用	*170*

9章 分 光 学

9.1	色々な光	*171*
9.2	原子スペクトル	*173*
9.3	医療への応用	*177*
9.4	体温分布	*178*
9.5	殺菌灯	*179*

付 録

1.	原子から放射されるスペクトルの例	*181*
2.	周期表	*182*
問題解答		*184*
さくいん		*190*

0 章
物理学とは

0.1 物理学の起源

"煙はなぜ立ち昇るのか","火はなぜ燃えるのか","物はなぜ落下するのか","夕日はなぜ赤く見えるのか".このような私達の身辺の現象の中で,"なぜ"と問いかけられると以外と説明に苦しむことが多くある.

今から 1000 年ほど前には,様々な物理現象はもとより,このような日常ありふれた自然現象ですら正しく説明することは大変困難なことであった.そして,現在,私達が知っている知識の多くはルネッサンス(14 世紀〜16 世紀)以後のガリレイ(Galileo Galilei;1564〜1642)やニュートン(S. I. Newton;1642〜1727)が活躍した時代以後に確立されたものである.

今日,自然科学といわれているものは,古くはギリシャ時代にまでその源を遡ることができる.ギリシャ時代の人達は,自然の様々な姿,目にふれる出来事の一つ一つについて,統一できる一つの法則(自然法則)が存在すると考えた.そして,現在の自然科学はこの考え方を脈々と受け継ぎ,発展の過程で分化し,物理学,化学,数学,生物学,地学,天文学などに枝別れしてきたのである.

私達は科学によって導かれた様々な知識を活用することによって,豊かで快適な毎日の生活を送ることができる.例えば,もし病気になったときでも,薬や手術によって健康な身体を取り戻すことができる.その一方で,科学の知識を正しく用いないと,時には取り返しのつかない弊害,例えば,核兵器の問題

やフロンガスなどによる環境破壊, 薬害など, 様々な弊害を人類に及ぼすことになるのも事実である.

0.2 物理学の法則

ガリレイからニュートンに至る物体の運動に対する考え方に物理学の基本となる姿勢が見出せる. すなわち, 自然現象をできるかぎり簡素化し, すべての物体の運動を説明しようとしている. よく知られた $F = ma$ という式で, 地球上の物体の運動から天体の運行に至るまで説明できる. この考え方が正しいことは人が月面に降りて活動し, 地球に帰ってくることができたことでも証明されている. 近年における宇宙開発は目覚ましいものがあり, 宇宙で人類が暮らすことができるようになるのもそう遠い将来のことではないだろう.

この物体の運動に対する考え方を原子の世界に当てはめようとしたとき, 原子が放射するスペクトルなどを説明できないことがわかった. そして, このようなことから量子力学が生まれることになった. そして, 原子の内部の様子が理解されることによって, 今まで説明できなかった太陽のエネルギーの源を知ることができるようになった.

このように, 物理学の基本となる考え方（哲学）は, 具体的な現象を理解するために, 物事をできるかぎり簡素化し, その本質を見出そうとする姿勢である.

ガリレオ・ガリレイ（Galileo Galilei；1564〜1642）

ピサの斜塔での落体の公開実験, 望遠鏡による木星の4大衛星（イオ, オイロパ, ガニメデ, カリスト）の発見, 宗教裁判において, "それでも地球は動く"とつぶやいたことで知られている.

彼は物事を単に観察するだけでは満足せず, 測定を行い, 一般性を持った数学的な記述を行うことを試みた. 実験装置にも, 従来のものにない工夫を凝らし, 現象の本質がよく見えるよう工夫した. 例えば, 振子の周期を脈拍を利用して測定するとか, 自由落下運動を調べる目的で斜面を利用し水時計を工夫し, 正確な時間を測定した. また, 自分で工夫して望遠鏡（ガリレイ式望遠鏡）を製作し, それを用いて木星の観測を行

い，木星の周りを衛星が回っていることを発見した．さらに，太陽を観測し，黒点を発見し，その黒点の移動から太陽が 27 日周期で自転していることも発見した．そうした中で，天文学者ケプラー（J. Kepler；1571～1630）との文通を通して，「地動説」を信じるようになった．

0.3　物理学の分野

物理学は物（物体）の運動や現象，物質の構成を扱う学問である．ここでいう物とは，目に見える物とは限らない．今日の物理学にはおよそ次の分野がある．

(a)　力　　学　　物体の運動を取り扱う．気体，液体の流れ方などを扱うときには流体力学という．

(b)　熱 力 学　　熱に関係した現象を扱う．熱の源をたどれば物質を形成している原子の運動によっている．

(c)　電磁気学　　電気，磁気に係わる自然現象，電気と磁気との関係を考える．詳細に見れば，原子やイオン，原子を構成する電子の運動に係わっている．

(d)　量子力学　　物質を構成する原子内部のような微視的な世界を考える力学で，原子核理論，原子・分子，物性論などもこの分野に入る．

0.4　日常に活かされる物理学

現代に生きる私達にとって物理学の知識は必要でないのだろうか？　確かに，物理学の理論や公式など，何も知らなくてもそれほど困難を感じないで毎日を過ごせるであろう．しかし，私達の周りを見回して見れば，あまりにも物理学によってその原理が発見され，その原理に基づいて動作している機械などの日用品が多いのに気付くのではないだろうか．それぞれの家庭に送られてくる電気，それによって動く洗濯機，テレビ，ラジオ，照明，冷蔵庫など様々であり，これらによる恩恵は計り知れない．

また，毎日の交通の手段に用いられる車，遠くにいる友達や家族と話のできる電話など，どの一つをとってみても物理学による原理が利用されている．利

用されている原理を知っていれば器具をより有効に使用することができるとは思はないだろうか？

私達の身の周りの器具を使用していて，物理学の知識が少しでもあったなら随分と助かったと思ったことが，一度や二度はあったのではないだろうか．一方では，私達が意識しないところでも物理学の応用技術に助けられているものである．最も身近なものの一つが医療技術ではないだろうか．例えば，レーザー光線は，癌の治療，手術メスとして利用され，これからはますます広い範囲で利用されようとしている．

0.5 医療に携わる者にとっての物理学

医療の現場には多くの機械・器具が使用されている．また，看護に携わる者には，様々な事態に直面し，その事態に応じて適切な判断と作業が要求される．医療に携わる者にとって物理学を学ぶということは，日常使用する機械・器具の動作原理を把握することができ，それらをより正しく使用できるようになるばかりでなく，事態に応じた適切な処置に導く応用力を養うことになるであろう．例えば，前節でふれたレーザーを例にとって考えてみよう．

レーザーは光の波長が一定で，その光波の位相が揃っているのが特徴である．このことから，レーザー光は遠くまで周りの空気に邪魔されることなく伝わり，光束（光の束，ビーム）はその直径をあまり変えることもない．したがって，光の持つエネルギーは減衰することなく遠くまで伝わる．この光をレンズで集めればさらに光エネルギーを狭い所に集めることができる．この性質を利用したのがレーザーメスであり，癌治療などに用いられている．

レーザー光は普通の光に比べ，光の波長が揃っているので，レーザー光だけを選択的に吸収する物質で染めた癌細胞に照射すると癌細胞だけを破壊することができる．それではレーザー光を扱うときどのようなことに注意すれば良いだろうか．

光はガラスなどの表面で反射する性質がある．もしレーザー光をガラス器具などにうっかり当てると当然反射される．レーザー光は普通の光に比べ光束が広がらないためその効果は強く，反射光でも必要以上に照射を受ければ危険であり，特に目に入れば失明などの恐れがあるので注意する必要がある．

このように知識を応用していくことで注意すべきことは何かを合理的に考えられるようになる．

　このことから，医療に携わる者にとって物理学を学ぶということは，第一に，どのような注意を払って様々な器具を扱えばよいか．正しくない扱いをすればどのような危険があるかをより的確に判断する手段を与えてくれる．第二に，先輩らから教えられる機械・器具の取り扱い方や注意の理由がなぜなのか，より早く，より的確に理解するのに役立つ．第三に，初めて目にする機械・器具を前にしていたずらに恐れをいだくこともなく，その取り扱い方を素早く習得するのに役立つことにもなる．

1 章

単 位 系

　私達の住んでいる社会では，物事の善悪を決定するにも，距離，時間，土地の面積の多寡(たか)を測るにも，基準となる物差しがある．この基準や物差しを暗黙のうちに認め合っているからトラブルが起きないのである．もし，これらが各人まちまちであったなら，世の中は混乱することは誰の目にも明らかであろう．

　自然科学でもこの事情は全く同じである．この量を測る基準となるものを**単位系**という．

1.1 基本単位

　単位系を組み立てる量の基本は，「時間」，「長さ」，「質量」，「温度」，「電流」の5つであり，これらの単位を**基本単位**という．

[時間]　　歴史的には，太陽が南中してから次に南中するまでを1日とし，これの $1/(24\times60\times60)$ を「1秒 (s)」と定めた．

　　　　　現在は，セシウム原子を用いた原子時計を用いている．すなわち，セシウム原子の超微細準位（$F=4$, $M=0$ および $F=3$, $M=0$）の間の遷移に対応する放射の9192631770倍を1秒と定めている．

[距離]　　歴史的には，この単位も地球を用いている．すなわち，北極から経線に沿って赤道までの距離の1/1千万を「1メートル (m)」と定め，国際メートル原器を制定した．これは白金とイリ

ジウムの合金で作られている．

　　　　　1960年からは，クリプトンから放射される，だいだい色の光の波長の1650763.73倍を1mと定めた．

［質量］　歴史的には，4℃の水1リットル（ℓ）の重さで定められた．この重力Wで決める質量 $m=W/g$ と，ニュートンの運動の法則で定められる質量 $m=F/a$ は正確に一致している．これも，メートル原器と同様に国際キログラム原器が作成された．

　　　　　現在では，国際キログラム原器を1キログラム（kg）と定めている．これによると，4℃の水1ℓは0.999972kgであった．

［温度］　水の三重点の熱力学温度の1/273.16を1ケルビン（K）とした．この温度間隔はセッ氏の℃間隔と同じである．

［電流］　空気中に1mの間隔で平行に置かれた無限に長い2本の直線導体に等しい電流を流したとき，長さ1mごとに 2×10^{-7} N（ニュートン）の力が生じる電流を1アンペア（A）とする．

物理学ではメートル（m），キログラム（kg），秒（s），アンペア（A）を基本とするSI単位系を国際的に利用することになっている．

1.2　組立単位

基本単位の組み合わせによって導かれる単位を**組立単位**という．物理学で用いられる組立単位を表1.1にまとめておく．

表1.1　物理学で用いる組立単位

	単位	
速　　　度	m/s	
加　速　度	m/s²	
力	ニュートン（N）	$1\,\mathrm{N}=1\,\mathrm{kg}\cdot1\,\mathrm{m/s^2}$
仕　　　事	ジュール（J）	$1\,\mathrm{J}=1\,\mathrm{N}\cdot1\,\mathrm{m}$
仕　事　率	ワット（W）	$1\,\mathrm{W}=1\,\mathrm{J}/1\,\mathrm{s}$
周　波　数	ヘルツ（Hz）	$1\,\mathrm{Hz}=1/1\,\mathrm{s}$
圧　　　力	パスカル（Pa）	$1\,\mathrm{Pa}=1\,\mathrm{N}/1\,\mathrm{m^2}$
電　　　圧	ボルト（V）	$1\,\mathrm{V}=1\,\mathrm{J}/1\,\mathrm{C}$
抵　　　抗	オーム（Ω）	$1\,\Omega=1\,\mathrm{V}/1\,\mathrm{A}$

2章
力と釣り合

　ここで取り扱う物体とは，目に見える形のある物を指している．ここでは物体の安定，不安定，力が物体に加えられるとどのような現象が起こるかを調べ，医療現場での動作について考えてみよう．

2.1 力 と は

　力という言葉は日常よく用いるが，物理学でいう力と全く同じものなのだろうか？
　「あの人は力が強い」とか，「彼を説得するのに力がいった」ということがある．前者は物理学でいう「力」とほぼ同じ意味を持っているが，後者は全く別物である．物を動かしたり，支えたりするときに使う「力」が物理学でいう力とほぼ同じものと考えられる．厳密には，後に述べる「ニュートンの運動の法則」で理解すべきものである．

2.2 力の向き

　ここでいう「向き」とは「方向」という意味である．いま，友人と二人で床の上にある物を左の方に動かそうとしている．二人揃って右から左の方に押すか，綱をつけて左の方に引っ張るとかするであろう．よもや，一人は左から，もう一人は右から押したりはしないであろう．このように，力には「方向」と「大きさ」がある．また，2つ以上の力が加えられる場合，合わせた力（合力）は力の互いの方向で大きさと方向が変わる．

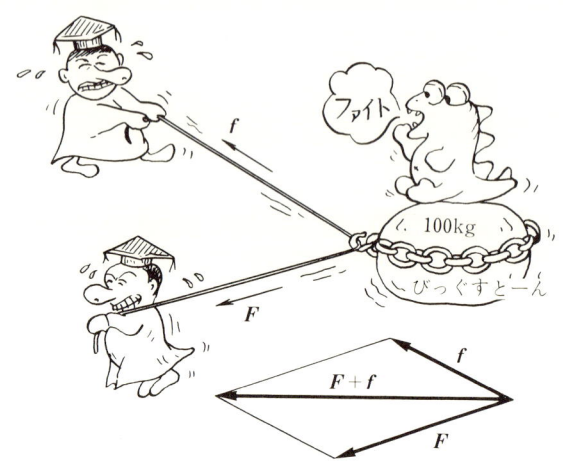

F と f で作る平行四辺形の対角線が合力となる

図 2.1 ベクトルの合成

　力のように大きさと方向の両方を持った量を**ベクトル**という．これに対して，大きさだけを持った量を**スカラー**という．例えば，長さなどはスカラーである．力のようなベクトルを表すには図 2.1 のように矢印の向きと長さで表現する．

　2 つの力を合わせた合力の方向と大きさはどのようになるか図 2.1 で考えよう．綱を付けて引く場合，2 本の綱は，斜めにするよりも，できるだけ揃うようにした方が大きな力となることを経験している．また，物体の方向は 2 本の綱に挟まれた方向に動くことも経験している．これが力の合成（ベクトルの合成）である．これを矢印で表現すると力 F と f で作られる平行四辺形の対角線方向が $F+f$ を表している．

問 2.1 2 つの力 F と f が互いに直角の方向に加えられている．その力の大きさがそれぞれ 3，4 であったなら，合成された力の大きさと方向はどのようになるか．図を描いて求めよ．

2.3 力の釣り合，力のモーメント

前節の例で互いに反対方向に綱を引き，引く力が全く同じであったなら，物体は全く動かないであろう．このような場合，2つの力は釣り合っているという．ところが，綱が一カ所でなく，物体の両端に別々に結ばれていたならどのようになるだろうか．物体は2本の綱が一直線になるまで回転するであろう．このように，互いに大きさが等しく，方向が反対の力が平行に加えられている場合を**偶力**と呼ぶ．また，物体を回転させる力（回転力）を**力のモーメント**と呼ぶ．図2.2のように，互いに平行な力 F が距離 a で物体に加えられているときの力のモーメントの大きさは Fa である．このモーメントもベクトルである．その方向は図2.3に示すように，その回転に伴って右ネジの進むであろう方向をモーメントの方向と定義する．

一端が固定されている棒の他端に力を加えたときにも，棒は回転する．また，力は棒に直角に加えられたときが最も回転力は大きくなる．図2.4のように長さ a の棒に角度 α で力 F が加えられたときの力のモーメントは $aF\sin\alpha$ となる．

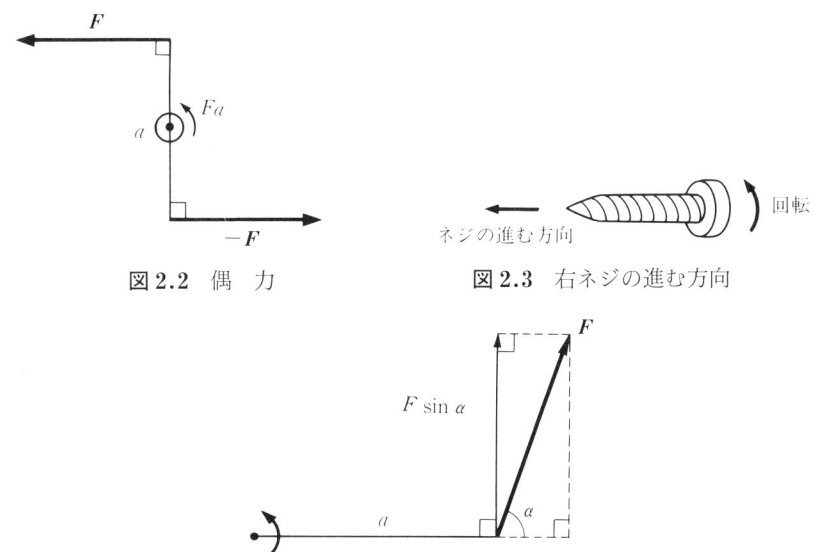

図 2.2 偶 力　　　図 2.3 右ネジの進む方向

図 2.4 棒に斜めに力 F が加えられたときの力のモーメント

両手で支えて物を運ぶときに，腕を伸ばした状態より肘を身体の横につけた状態の方が疲れにくいのは，腕を伸ばしたときの長さ a より，腕を曲げたときの方が a が小さくなる．物体から加わる力 F は同じなので，Fa は腕を曲げたときの方が小さくなるためである．

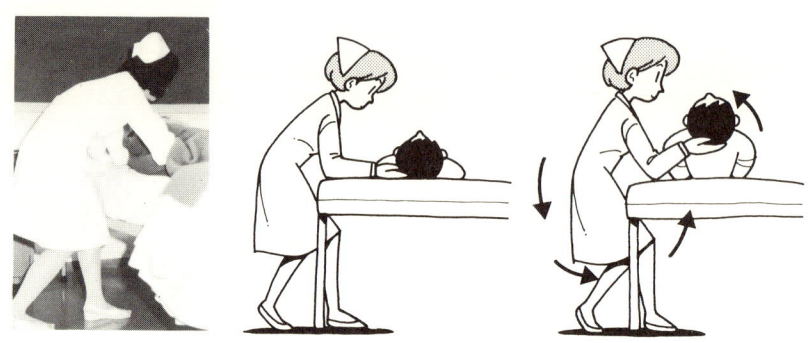

図 2.5 患者を抱き上げるときの姿勢

肘をベッドの端につける．患者の体の下に作用点となる手を上向きに入れる．足を前後に開き，腰を下におろすことで肘を支点にした力のモーメントによってベッドから持ち上げる．体重を力のモーメントとして利用することで腰に負担をかけない．

このことは，ベッド上の患者を抱き上げるとき，どのような姿勢が良いかを示している．すなわち，肘をベッドに固定し手を上に挙げると，長さ a が短くなり力のモーメントを小さくすることができるだけでなく，肘がベッドの上に固定されているので，持ち上げるとき，より安定になることと，肘を支点にして腰を下げることで自分の体重を利用して楽に持ち上げることができる（図2.5）．

（注）［距離］×［力］（$r \times F = N$）を力のモーメントと呼ぶ（距離，力はいずれも大きさと方向を持ったベクトル量）．

力のベクトルのかわりに運動量（$p = mv$）を用いて［距離］×［運動量］（$r \times p = L$）は天体の運動では面積速度の 2 倍，原子物理学では角運動量と呼ばれている．$dL/dt = N$ となって，物体の回転運動を表す運動方程式が導かれることに注目せよ．

2.4 力のモーメントの応用，テコ

 力のモーメントを応用したものとして**テコ**がある．この原理を応用した道具は身の周りに数多く見つけることができる．テコはアルキメデスによって調べられた．それは「棒の中間に支点を置き，両端におもりを置くとき，支点からの距離がおもりの重さの比に反比例するような位置を選ぶと釣り合う」というものである．

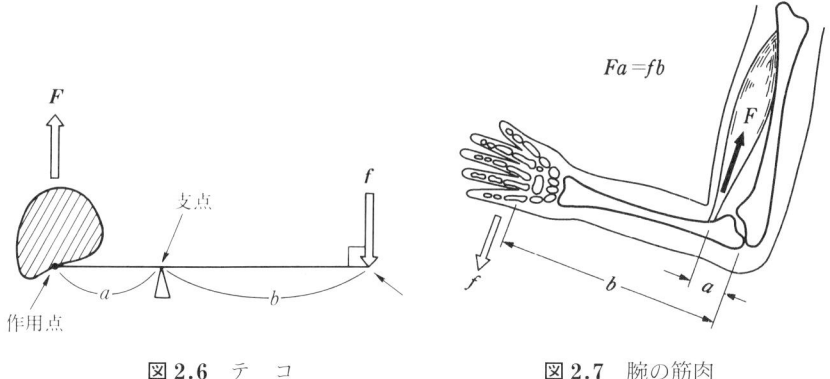

図2.6 テ コ　　　　　図2.7 腕の筋肉

 図2.6 に示したように力 f を加えると fb という力のモーメントが生まれる．支点から a だけ離れた位置の作用点の力を F とすると，Fa というモーメントは

$$Fa = fb$$

となったとき釣り合う．この式から

$$F = f\frac{b}{a}$$

という関係が得られる．このことから $b>a$ となるように選べば，加えた力 f の b/a 倍の力 F を物体に加えることができることを示している．

 私達の身体で，手足の関節において，骨と筋肉との関係もテコの原理によって成り立っていると考えられる．図2.7 は腕の筋肉の様子を示している．手に持った物を肘を曲げて持ち上げる場合，腕の筋肉には，f を物を持ち上げる力とすると $F = fb/a$ の力が加わっている．

 担架に人を乗せて運ぶとき，持ち上げるのに大きな力が必要なのは，頭側を

持つ人か,それとも足側を持つ人だろうか?

　人体の重心の位置は頭側により近くなっている.したがって,頭から重心までの距離よりも足から重心までの距離の方が長い.このことから,足側を持つ人の方が少ない力で持ち上げることができる(図2.8).

　病院などで酸素ボンベを運搬するキャリーもテコの原理を利用した器具である.図2.9はキャリーの写真であり,加わる力と距離の関係を図中に示した.運搬用の車輪の軸を支点としてテコの原理が成り立ち

$$fb = Fa$$

という関係式が当てはまる.

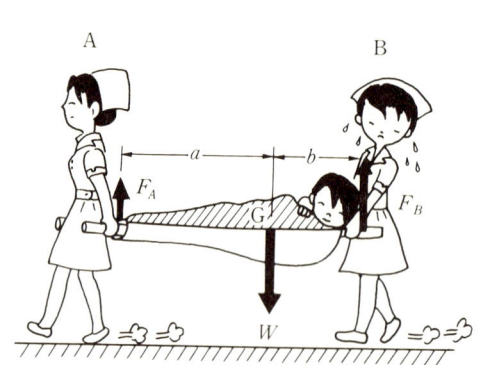

図2.8　担架は頭の方を持つと重い?
　　　前田昌信,看護にいかす物理学,
　　　医学書院 (1979) より

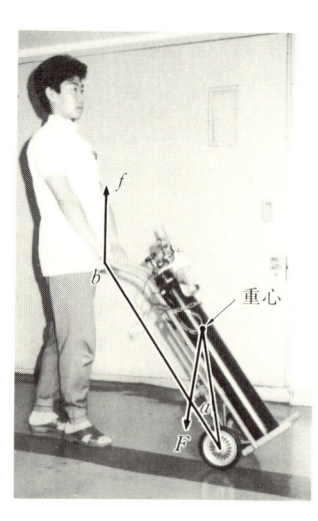

図2.9　ボンベを運搬するキャリー

問2.2　ベッドに横たわる患者を手で持ち上げ,移動する様子を説明せよ.そのときの力の加わり方をテコの原理で説明せよ.

問2.3　担架を使って患者を運ぶとき,患者の頭側,足側のどちらを前にして運んだ方が良いか.その力学的理由,心理学的理由,医療上の理由を説明せよ.

2.5 滑　　車

　滑車は車輪と綱を組み合わせた道具である．重い物を釣り上げるクレーン，牽引治療などに使用されている．滑車には，車輪の回転軸が固定されている定滑車と，回転軸が自由に動く動滑車とがある．定滑車は綱の方向が自由に変えられる，すなわち，力の方向を変えることができる．しかし，定滑車にかかっている綱に加えた力はそのまま他方に伝わるので，力では得をしない．動滑車では，車輪の回転軸に加えられた力を2本の綱で支えている．したがって，綱を支えるには半分の力で良いことになる．多くの定滑車と動滑車を組み合わせると少ない力で重い物を持ち上げることができる（図2.10）．

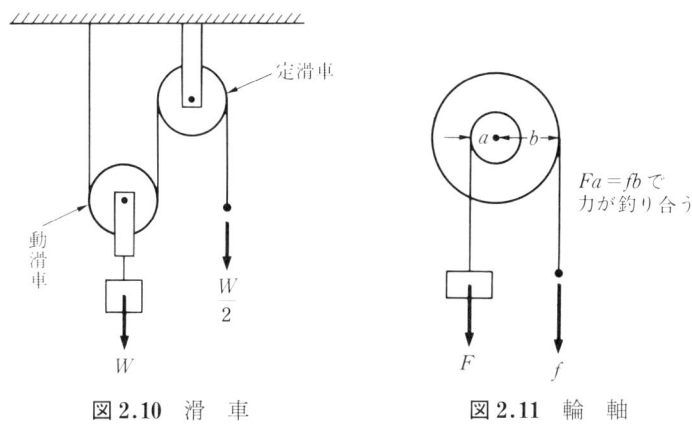

図2.10　滑　車　　　　　　　図2.11　輪　軸

　滑車に似た道具に輪軸という道具がある．これは図2.11のように直径の異なる車輪が互いに固定され，それぞれに綱が取り付けられている．大小の車輪の半径を a，b とし，2本の綱に加わる力を F，f とする．これらの関係は

$$Fa = fb$$

となり，テコの原理そのものである．ただし，綱に力を加えることで，滑車の特徴も兼ね備え，加わる力は絶えず直角になるという特徴がある．

2.6 安定性，重心

　人はなぜ立って歩くことができるのだろうか．自転車やバイクに乗ってもなぜ倒れないで走ることができるのだろうか？

　このようなことは何ら不思議にも思わないであたりまえのことだと思っているのではないだろうか．サーカスで綱渡りをする人が両手を横に広げるとか，長い竿を持っているのを見たことがあると思う．これらは，手とか竿を使って力のモーメントの右回り，左回りの大きさを巧みに釣り合わせることでバランスをとっているのである．

　床とか地面の上に置かれた物は，なぜ風が吹いたり，さわったりしないかぎり倒れないのであろうか？　これも力のモーメントが釣り合うことで説明できる．すなわち，地球上の物体すべてには重力（引力，万有引力）が働いている．この重力が物体に働くことで，力のモーメントを生じる．一方，地面や床などからは物体に働く重力の反作用（抗力）が働いていて，物体に力のモーメントを与えている．このモーメントが釣り合っているかぎり物体は倒れないのである．

　物体に働く重力による力のモーメントが釣り合う位置を**重心**，または，**質量中心**という．重心の位置は次のようにして求めることができる．すなわち，重さ（質量）が無視できる棒の両端に重さ m，M の物体が取り付けられているときの重心の位置 r_G は，図2.12のように，任意の点Oから2つの物体までの距離をそれぞれ r，R とすると，力のモーメントは mgr，MgR となる．ここで，g は重力加速度を表している．重心には物体の全質量が集まっていると考えると，重心位置での力のモーメントは $(m+M)gr_G$ となり，これが重さ m，M の物体が作る力のモーメントに等しい．すなわち

$$(m+M)gr_G = mgr + MgR$$

である．この式から重心の位置 r_G を求めると

$$r_G = \frac{mr + MR}{m+M}$$

となる．

　細長い物体を投げたときクルクル回りながら飛んでいくのを注意して見る

2.6 安全性，重心

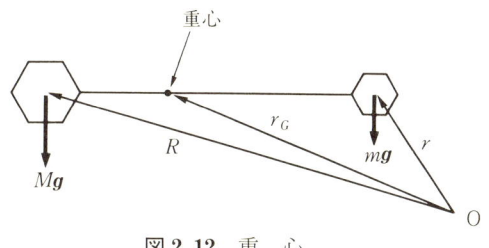

図2.12 重 心

と，その回転の中心は重心になっていることは注目すべきことである．

　人は2本足で歩行している．なぜ2本足で歩けるのだろうか．足にケガをしたりするとなぜギクシャクした歩き方になるのだろうか．これは左右の足で右回り，左回りの力のモーメントのバランスをとり，かつ，足の指（特に親指）で前後方向の力のモーメントのバランスがとれるように重心の移動を滑らかに行っているからである．もし，平行感覚に欠陥が生じるとか，歩行に必要な機能に欠陥があると，重心の移動は滑らかに行えなくなる．また，立っているときに，背筋を真っ直ぐに伸ばした姿勢に比べ，身体を屈めるとか曲げたときに疲労が多いのも力のモーメントを考えると説明できる．

問2.4 松葉杖を使って歩行している人の歩き方から，重心の移動はどのようになっているか考えてみよ．

問2.5 天秤も力のモーメントの釣り合いを応用している．その原理を説明せよ（図2.13参照）．

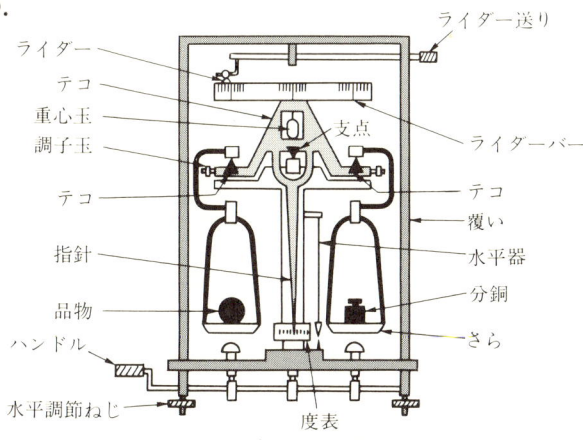

図2.13 度表天秤の構造

3 章

物体の運動

ここでは物体に加えられた力と運動との関係について述べる．運動とはどのようなことなのか，物体の運動はどのように表現すればよいか，物体が落下するのはなぜか，物体が壊れるのはなぜか．このような事柄について考える．

物体（物，物質）は，固体，液体，気体の3つの様態（3態）があるが，ここでは固体の運動のみを取り扱い，液体，気体の運動は章を改めて述べる．

3.1 位置，座標

私達は住所を表すために県・市・町・村・番地を用いている．この表し方を用いると，間違いなく郵便物は届くし，友人の家を訪ね当てることもできる．これと同じように，物体の位置も表す．これを**座標**という．すなわち，どこか適当な位置に基準となる点（原点）を定めて，上下左右前後にいくらといった表し方をすればよい．ところがAさん，Bさんで原点は異なるのが普通である．したがって，原点の定め方に一定の規則を設け，それに従わないと混乱を招くことになる．日常生活の場でもよくある話である．すなわち，具体的な問題に対する考え方も色々あるのが普通である．そこで一定の基準として法律を定め，混乱が起きないようにしているのである．

私達が住んでいる世界では位置を定めるのに，上下，左右，前後の3つの量を用いればよい．3つの量で物体の位置が表せることから，私達の住んでいる

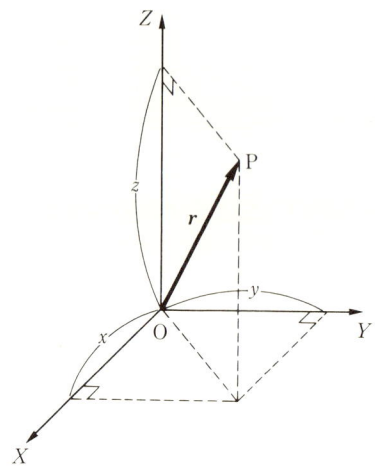

図 3.1 3 次元空間

空間は 3 次元であるという．物体の位置を原点からの距離と方向で表すならば，これもベクトルである．図 3.1 で物体の位置 P を原点 O からの矢印 r で示す．ベクトル r の大きさは

$$|r| = \mathrm{OP} = \sqrt{x^2 + y^2 + z^2}$$

で与えられる．ここで，x, y, z は r の X, Y, Z 軸方向の大きさを表している．

3.2 速度，加速度

車で A 地点から B 地点まで行くのに 30 分かかった．A 地点から B 地点までの距離が 25 km であったとすれば，車は時速 50 km であったことになる．これは 25 km/0.5 h＝50 km/h という計算を行うことで求めている．これと同様な計算方法で速度は定義できる．図 3.2 のように，時刻 t_1 で s_1，時刻 t_2 で s_2 に物体があったとすると，時間間隔 $\varDelta t = t_2 - t_1$ の間に物体が進んだ距離は $\varDelta s = s_2 - s_1$ である．$\varDelta t$ 秒間の平均の速度 v は

$$v = \frac{\varDelta s}{\varDelta t}$$

で求められる．この時間間隔 $\varDelta t$ を小さくした極限（$\varDelta t \to 0$）では時刻 t での

瞬間の速度が得られる．すなわち，

$$v = \lim_{\Delta t \to 0} \frac{\Delta s}{\Delta t} = \frac{ds}{dt}$$

で速度 v を求めることができる．

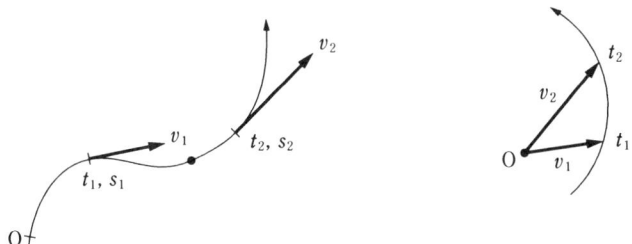

図 3.2 速度と加速度

いま発進した車が時速 50 km になるまでには，それなりの時間を必要とする．これを**加速**と呼んでいる．車を加速しているときには時々刻々と速度は変化し，時速 50 km になって一定になるであろう．加速度は速度の計算に習って算出することができる．すなわち，時刻 t_1 での速度が v_1，時刻 t_2 での速度が v_2 であったとすると，Δt 秒間の**平均加速度** a は

$$a = \frac{v_2 - v_1}{t_2 - t_1} = \frac{\Delta v}{\Delta t}$$

で求められる．したがって，時刻 t での瞬間の加速度は

$$a = \lim_{\Delta t \to 0} \frac{\Delta v}{\Delta t} = \frac{dv}{dt} = \frac{d^2 s}{dt^2}$$

で加速度を計算することができる．

3.3 速さと速度

日頃，私達は「速さ」と「速度」を区別して使用しているだろうか．物理学でははっきりとした区別がなされているので，それを説明しよう．

S 字形をした道路を自動車で速度計の指示は 50 km/h という一定の値を保って走っている場面を想定しよう．この場合，速度計の指示値は一定であっても，自動車の進む方向は時々刻々と変化している．物理学で用いる速度は大きさと方向とを持った値である．したがって，速度（Velocity）はベクトルで表

される量である．速度の大きさを速さ（Speed）という．私達が速度計と呼んでいる計器は速さしか測定できないので言葉としては適切ではない．英語ではSpeed Meter という．この言葉は適切な表現である．

それでは，「加速度」はどうであろうか．東に向かって走っている自動車を時速 50 km から 60 km に加速するのと，50 km から 40 km に減速する場合を考えよう．$\Delta v = 10$ km の速度差を起こすためにかかった時間 Δt が加速と減速で同じとしても，加速度は異なる．すなわち，加速の場合には

$$a = \frac{60-50}{\Delta t} = \frac{10}{\Delta t}$$

減速の場合には，

$$a = \frac{40-50}{\Delta t} = \frac{-10}{\Delta t}$$

となり，大きさは等しいが，正負の違いがある．すなわち，加速する場合には加速度の方向は東向きであるが，減速する場合には加速度の方向は西向きとなっている．このように，加速度も，大きさと方向で表される量でありベクトルである．S字形をした道路を自動車で一定の速さで走っているとき，速度の方向は絶えず変化している．すなわち，速度が変化しているため加速度が絶えず生じていることになる（図 3.3）．

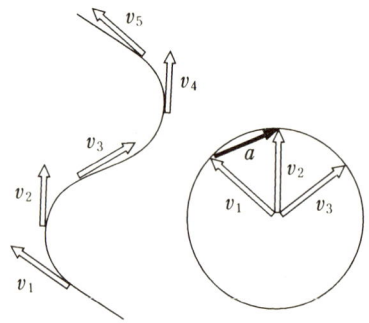

図 3.3 速さ一定で運動するときの加速度

3.4 力と速度，加速度

物体の運動と力との間にはどのような関係があるのだろうか？

このことについては古代から考えられ，様々な説明がなされてきた．それぞれの時代になされた説明は，その時代の社会情勢，宗教思想などを反映していた．例えば，天動説は「世界の中心は地球であり，これらは神が造りたまうものであり，地球上の物体の運動も天体の運行も，神の意志に従う」という宗教思想を強く反映したものであった．これが誤っていることは，ガリレイの望遠鏡による木星の4大衛星の発見，ピサの斜塔での落体の実験などで指摘され，ニュートンによる「運動の法則」の発見によって，今日の力学の基礎が築かれたのである．

物体の運動については，日常の経験によっても，力と速度の変化の仕方には深い関係があることがわかる．例えば，重い物を動かそうとするときと，軽い物を動かそうとするときとでは，軽い物を動かすときの方が力は少なくてすむことは経験からわかっていることであろう．また，同一の物でもゆっくりと動かそうとするときより，速く動かそうとするときの方が大きな力が必要なことも経験しているだろう．これらを総合すると，物（物体）の重さ，加速度，力の間に関係式が成り立つことが暗示されている．

重さ m（正しくは質量）の物体に力 F を Δt 秒間だけ加えたところ，物体の速度 v が，Δv だけ増加し $v+\Delta v$ になった．この場合，m, F, Δt と Δv の間には

$$F \cdot \Delta t = m \cdot \Delta v$$

という関係が成り立っている．この式の両辺を Δt で割ると

$$F = m \frac{\Delta v}{\Delta t} \quad \text{すなわち} \quad F = ma$$

というよく知られた式が導かれる．この式が物体の運動を記述する運動方程式である．

3.5 運動の法則

　前節で述べた事柄は日常経験する物体の運動についての一部である．日常の経験では，教室の机の上に置き忘れた物は，誰も手を触れないかぎり，翌日になってもそのままの状態で机の上にあるし，アイススケートのように氷の上では，いったん滑り始めたらなかなか止まることができないで，真っ直ぐに滑り続けることを経験したことがあるだろう．このような，一見複雑に思える物体の運動を整理すると簡潔に表すことができる．これらはニュートンによってまとめられたので「**ニュートンの運動の法則**」と呼ばれ，3つの項目にまとめられている．すなわち，

1. **第一法則**；慣性の法則
   物体は，他から力を受けないかぎり，
   (a) 静止している物体はいつまでも静止したままである．
   (b) 動いている物体は，そのときまで運動していた方向に一直線上をそのときの速度を変えないで動き続ける（等速直線運動をする）．
2. **第二法則**；運動の法則
   物体の速度の時間的変化は，その物体に加えられた力の強さに比例し，物体の持っている質量に反比例する．さらに，速度の変化する方向（加速度の方向）は加えられた力の方向である．式で表現すれば $F=ma$ である．
3. **第三法則**；作用・反作用の法則
   2つの物体が互いに力を及ぼし合うとき，及ぼし合う力の大きさは等しく，その力の方向は互いに逆向きである．

　以上3つの法則で，地球上の物体の運動から，天体の運行まで，正確に説明し，計算し，予測することができることは驚異であろう．

　第一の法則（慣性の法則）は，力がどのようなものであるかを記述したもので，物体の運動の方向を変えたり，速度を変えたりする働きをするのが力であることを示している．

　第二法則（運動の法則）は，物体の運動を記述する中心的役割をなすものである．すなわち，物体の運動は，$F=ma$ という式で正確に表せることを示し

ている.また,

$$m = \frac{F}{a}$$

と式を書き換えれば理解できるように,質量とは,物体の運動の方向や速度の変化を妨げる働きをするものであることを示している.

第三の法則(作用・反作用の法則)は,力が作用しあって釣り合うとはどのようなことであるかを説明していると考えられる.

アイザック・ニュートン(Sir Isaac Newton;1642〜1727)

ガリレイが世を去った年のクリスマスに生まれたニュートンは,学校では風変わりな好奇心の強い少年であったといわれている.その後ケンブリッジのトリニティカレッジにいた叔父の勧めで,ケンブリッジ大学へ進んだ.そして,ロンドンでペストが流行した折に母親の農場に帰り,そのころすでに二項定理の公式を発見し,微積分学についての構想を練っていた.このときに,リンゴが地面に落ちるのを見て,リンゴを下へ引く力と月を引く力とが同じものであることを発見した.さらに落下の加速度が引力の強さに比例し,引力の強さが地球の中心からの距離の2乗に比例して小さくなることを導いた.また,白色光をプリズムを通過させると,赤・橙・黄・緑・青・藍・紫の順の色の帯になること,この色の帯をもう一つのプリズムで色を集めると元の白色光に戻ることを発見した.この実験によって1669年に27歳でケンブリッジ大学の数学教授となった.そして,1672年には英国王立協会の会員に選ばれ,色と光についての報告を行った.

この報告にロバート・フック(Robert, Hooke;1635〜1703,フックの法則で知られている)が攻撃したことをきっかけに,フックとは生涯敵対することになった.また,光の研究を応用し,色収差のない反射望遠鏡(ニュートン式反射望遠鏡)を発明した.ニュートンの研究は Philosophiae Naturalis Principia Mathematica(プリンキピア;自然哲学の数学的原理)に集大成されている.

ニュートンのリンゴは紅玉と呼ばれる品種のリンゴよりひとまわり小さ目のリンゴと思われる.また,ニュートンの肖像をみると髪のふさふさしたものとそうでないものが見られる.この時代には男性はカツラを用いておしゃれをしていた.ベートーベンなどの肖像も同様の様子が見られる.

3.6 物体の回転運動

　紐の一端におもりを取り付け，他端を手で持っておもりを回転させることを考えよう．おもりが回転しているときには，外向きに引っ張られるのが感じられる．さらに，引っ張られる力はおもりを速く回転させるほど大きくなるのが感じられる．もし，突然紐が切れると真っ直ぐにおもりは飛んでいく．このことから，おもりが回転運動を続けるためには，絶えず回転の中心方向に力が働いている必要があることが理解できる．この例のような運動を**円運動**と呼ぶ．特に，速さが一定で円運動する場合には**等速円運動**という．図3.4に示すように，半径 r の円周上を質量 m のおもりが速さ v で等速円運動を行っている場合には，微小な時間差 Δt 秒間の速度の変化 Δv の方向は円の中心方向に向いている．したがって，加速度 $a = \Delta v/\Delta t$ の方向も円の中心方向に向いている．円運動を続けるために必要な力も円の中心方向に向いている．この力を**向心力**と呼び，その大きさ F は

$$F = \frac{mv^2}{r}$$

である．もし，円運動しているおもりに人が乗っていれば，その人は向心力の反作用である外向きの力（遠心力）を身体で感じることになる．

　遠心力は様々な器具に応用されている．まず第一に，洗濯機の脱水装置は遠心力を利用して衣類に含まれている水を取り出している．次に，遠心分離機は，試料を入れた容器を高速で回転させることで，地球による重力の力よりもはるかに大きな力を発生させることができるとともに，遠心力は質量が大きい物ほど大きな力となることを利用して重い物と軽い物を分離している（図3.5(a)）．また，身近な医療器具としては，一度に沢山の体温計の目盛り（水銀柱）を下げる器具も遠心力を利用したものである（図3.5(b)）．

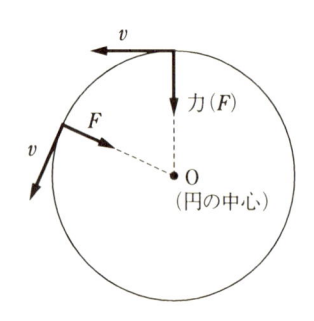

図3.4 等速円運動

3.6 物体の回転運動

(a) 普通の遠心分離機　　　(b) 体温計を下げるための機器

図3.5　遠心力を応用した機器

問 3.1　体温計の水銀柱を手で振って下げる動作を述べよ．次に，この動作で水銀柱が下がる理由を説明せよ．
問 3.2　乗り物がカーブを曲がるとき，乗っている人が外側に傾く．この理由を説明せよ．
問 3.3　雨に濡れた傘をクルクル回転させると雨滴が飛んでいく．この雨滴の飛んでいく方向はどのような向きか．

地球の周りを回っている月の運動を考えてみよう．月は地球から約36万kmの所を円に近い軌道を描いて回っている．月を円運動させるための向心力は何だろうか．この力は万有引力と呼ばれるものであり，図3.6のように，質量 M，m を持ち，互いの距離が r の物体の間に働く万有引力 F は，

$$F = -G\frac{mM}{r^2}, \quad G = 6.672 \times 10^{-11} \, \mathrm{N \cdot m^2 \cdot kg^{-2}}$$

ここで，G は万有引力定数と呼ばれるものである．地球の周りを運行している人工衛星を初めとしてすべての天体は万有引力に支配されて運動を行っている．

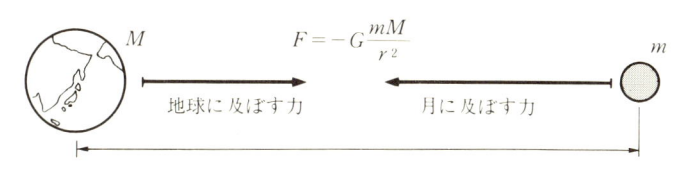

M　　　　$F = -G\dfrac{mM}{r^2}$　　　　m

地球に及ぼす力　　　月に及ぼす力

地球が月に及ぼす力は，月が地球に及ぼす力と大きさは等しく逆向きである（作用反作用の関係）．

図3.6　万有引力

3.7 落下運動

　地球上の物体は，それを支えるものがなくなれば下方に落下していく．そして，軽い物よりも重い物の方が早く地面に到達することもよく見かける現象である．このような物体の落下現象についても古くから考えられ，説明が行われてきた．ルネッサンスの頃までは，物体には本来存在すべき場所が定められていて，すなわち，石や土は地面に，煙などは上空に，というようにその居るべき場所が定められているので，もし，その本来の場所から移されると元の場所に戻ろうとして運動する，という考えであった．

　様々な自然現象を理解し説明するには，私達の眼前で起こる事柄をよく観察し，考え，整理しなければならない．これを一歩進めて，説明したい現象を観察しやすいように工夫した実験を行って，物体の落下運動の本質を見出したのはガリレイである．彼の実験のなかで，ピサの斜塔で行われた「落体の実験」が特に有名である．その他，斜面を使った実験によって，地球上の物体には等しい加速度が与えられていることを，彼は見出した．この加速度のことを**重力加速度**といい，物体に働く力を**重力**と今日では呼んでいる．

　重力加速度は地球と物体の間に働く万有引力の結果生じるものである．重力加速度は g いう記号で表すと，質量 m の物体には mg という力が働いている．地球の質量を M，物体の質量を m，地球の半径を a とすると，万有引力の法則から，

$$F = -G\frac{mM}{a^2} = -mg$$

という関係が成り立つ．この式から，g を求めると，

$$g = G\frac{M}{a^2} = 9.8 \ (\text{m/s}^2)$$

となる．実際には，重力加速度は地球上の場所によって違っている．一般的には，赤道付近では小さく，南極・北極に近づくに従って大きくなる．

3.7.1 自由落下

 高さ h_0 の所まで持ち上げた質量 m の物体を手を離すと，物体は下方に落下運動を始める．この物体の時間 t と高さ h，速度 v の関係がどのようになっているか考える．物体に働いている力は $F = -mg$ である．速度 v，加速度 a は

$$v = \frac{dh}{dt}, \quad a = \frac{dv}{dt}$$

であるから，運動を表す方程式は

$$m\frac{dv}{dt} = -mg$$

すなわち，

$$\frac{dv}{dt} = -g$$

となる．この式から，速度 v は一度積分を行えば得られる．すなわち，

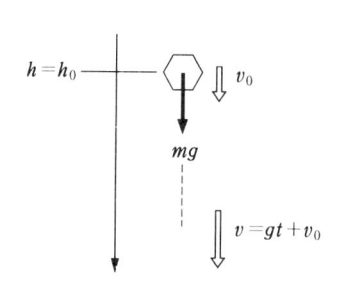

$$\frac{dh}{dt} = v = -gt + v_0$$

図 3.7 落下運動

となる．ここで，v_0 は積分定数で，手を離したときの物体の初速度を表している．速度を表す式をもう一度積分を行うと，

$$h = -\frac{1}{2}gt^2 + v_0 t + h_0$$

となり，時刻と物体の高さの関係が得られる．h_0 は物体から手を離したときの高さを表している．

 手を離したとき（$t=0$ のとき）$v=0$，$h=h_0$ ならば，

$$v = -gt, \quad h = -\frac{1}{2}gt^2 + h_0$$

となり，この式から，地面に到達する（$h=0$）までの時間と地面に到達した瞬間の速度が計算できる．すなわち，

$$t = \sqrt{2h_0/g}, \quad v = \sqrt{2gh}$$

という式から計算できる．

 問 3.4　高さ 5 m の所から落下を始めた石が地面に到達するまでの時間と速度を求めよ．

3.7.2 放物運動

ボール投げをしたときのボールの運動を調べてみよう．図3.8のように，地面と角度 θ，初速度 v_0 で質量 m のボールを投げる．

水平方向を x 軸，鉛直方向を y 軸とする．ボールに働く力は重力のみで，鉛直方向にしか力は働いていない．

鉛直方向のボールの運動は前節で述べた自由落下と同一である（図3.9）．したがって，

$$v_y = -gt + v_0 \sin\theta$$

$$y = -\frac{1}{2}gt^2 + v_0 \sin\theta\, t$$

となる．

水平方向には力が働いていないので，慣性の法則から最初の速度を維持して運動を続ける．すなわち，

$$v_x = v_0 \cos\theta$$

$$x = v_0 \cos\theta\, t$$

となる．x と y の式から t を消去すると，ボールが運動によって描く軌道が計算できる．すなわち，

$$y = \frac{-gx^2}{2v_0^2 \cos^2\theta} + \tan\theta \cdot x$$

となり，y は上に凸の放物線になっている．

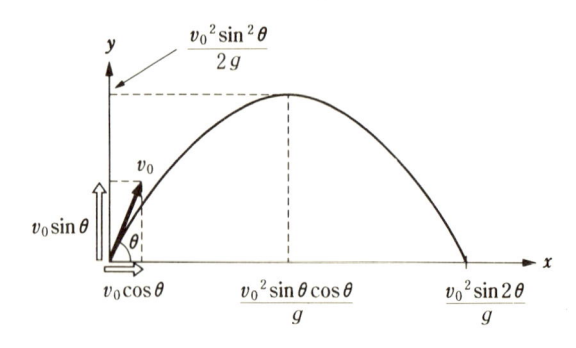

図3.8 放物運動

図 3.9

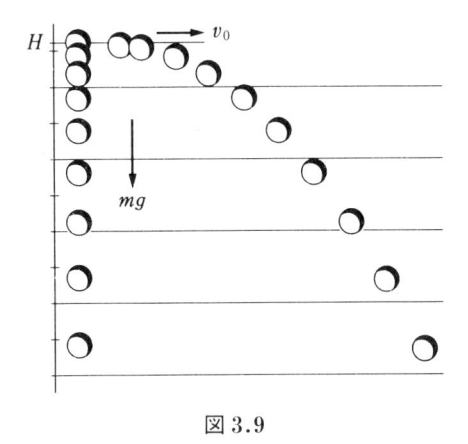

問 3.5 初速度一定でボールを投げるとき,投げる角度 θ がいくらのときにボールは最も遠くまで届くか.

3.8 運動量

物理学でいう運動とは,スポーツなどで用いる意味での運動ではない. **運動量**という言葉も,日常使う意味とは異なっている.物理学でいう運動量 P は次の関係式

$$[運動量]=[質量]\times[速度]$$

すなわち,

$$P=mv$$

で定義されている.式からも理解できるように,運動量 P も大きさと方向を持った量,ベクトルであることに注意しよう.

人が物を押すときの運動の変化に注意してみよう.止まっていた物を押せば,押した方向に動き始める.動いている物を押せば,押した方向に運動の方向が変わる.物を押すには力が必要であり,物を押しているという実感は,「押した力に等しい大きさの力で物も押し返す」ために感じられる.これは,運動の法則の第三法則,作用・反作用の法則によって説明できる.さて,物に力を加えると速度が変化する.これは,物の持っている運動量が変化したと考えられる.さらに,速度の変化を大きくしようとすればするほど,大きな力が

必要である．このことは，力の大きさと運動量の変化量との間に比例関係があることを示している．

質量 m の物体に力 F を Δt 秒間加えたところ，その速度が v_1 から v_2 に変化した．このときの運動量の変化は

$$\Delta P = P_2 - P_1 = mv_2 - mv_1 = m\Delta v$$

で求めることができる．単位時間あたり（1秒間）の運動量の変化は

$$\frac{\Delta P}{\Delta t} = \frac{m\Delta v}{\Delta t} = ma$$

すなわち，

$$F = \lim_{\Delta t \to 0} \frac{\Delta P}{\Delta t} = \frac{dP}{dt}$$

となり，力 F に等しいことがわかる．この力と運動量との関係式の両辺に Δt を掛けると

$$\Delta P = F \cdot \Delta t$$

という関係が得られる．この右辺の $F \cdot \Delta t$ を**力積**と呼ぶ．この関係式は次のような概念を示している．すなわち，**運動量の変化は力積に等しい**．

この概念で説明できる日常の現象は非常に多い．せと物の茶碗などを直接床に落としたら壊れるが，柔らかい布団などの上であれば壊れない．この場合，茶碗が床とか布団に衝突し止まる過程での運動量の変化は同じである．ところが床とか布団に接触し止まるまでに経過する時間 Δt は，床では短く，布団では長い．この結果，衝突時に発生する力の大きさには違いが生じるためである（図3.10）．

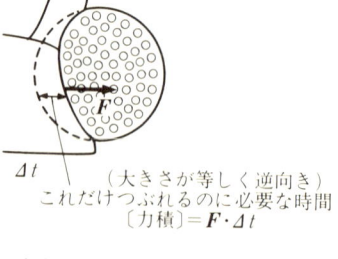

(a) クラブがボールに及ぼす力　　　(b) ボールがクラブに及ぼす力

（大きさが等しく逆向き）
Δt　これだけつぶれるのに必要な時間
〔力積〕$= F \cdot \Delta t$

図3.10 運動量の変化と力積・力の関係

高い所から飛び降りるとき，膝の屈伸（バネ）を上手に使えば痛くない．子供のように骨と骨の間の軟骨が柔らかいと少々の衝撃では何ともないが，年とともに軟骨の弾力が失われてくるので，老人の場合骨折しやすくなってくる．また自動車のバンパーなどもこの原理を応用して，衝突時の衝撃を和らげるように工夫した装備である．

問 3.6 クギを金槌で打ち込むとき，重い金槌を用いる方が早く打ち込むことができるのはなぜか．

3.9 衝　　突

重い物と軽い物が衝突したとき，軽い物の方がより大きく跳ね返される現象を目にすることがあるだろう．また，体重の軽い人が，重い人にぶつかったときには，当然，軽い人がよろけるだろう．このような現象はどのように説明すればよいだろうか．

いま，質量 M の物体が v_1 の速度で，u_1 の速度で動いている質量 m の物体に衝突した．衝突後，それぞれの物体の速度が v_2，u_2 になったとする（図 3.11）．衝突前にそれぞれの物体が持っていた運動量 P_1，Q_1 は，

$$P_1 = Mv_1, \quad Q_1 = mu_1$$

図 3.11 物体の衝突

であり，衝突後のそれぞれの物体の運動量は，

$$P_2 = Mv_2, \quad Q_2 = mu_2$$

となっている．2つの物体が衝突したときには，作用・反作用の法則から，物体が相互に及ぼし合う力は等しく，その方向は互いに逆向きになっている．また，外部から運動を変化させる力は加えられてはいない．したがって，衝突時に2つの物体間で受け渡される運動量は等しくなる．質量 M の物体が衝突によって失う運動量 ΔP は

$$\Delta P = P_2 - P_1 = Mv_2 - Mv_1 = M(v_2 - v_1) = M\Delta v$$

となる．また，質量 m の物体が受け取る運動量 ΔQ は

$$\Delta Q = Q_2 - Q_1 = mu_2 - mu_1 = m(u_2 - u_1) = m\Delta u$$

である．2つの物体の衝突に要した時間が Δt であったとすれば，相互に働く力の大きさが等しいことから，

$$-\frac{\Delta P}{\Delta t} = \frac{\Delta Q}{\Delta t} = F$$

が成り立つ．すなわち，

$$-\frac{Mv_2 - Mv_1}{\Delta t} = \frac{mu_2 - mu_1}{\Delta t}$$

となっている．このことから，

$$mu_1 + Mv_1 = mu_2 + Mv_2 \quad \rightarrow \quad P_1 + Q_1 = P_2 + Q_2$$

という結果が得られる．これは，衝突の前後で運動量の合計が変化しないということを表している．これを，**運動量保存の法則**と呼ぶ．

次に，ボールを床の上に落下させた場合を考えてみよう．ボールは床に当たって跳ね返ってくるが，元の高さまでは戻らないで，少し低くなる．よくボールが弾めば高い所まで，弾まなければ少ししかボールは戻ってこない（図3.12）．また，ボールの戻る高さは，床が木でできているかコンクリートでできているかでも変化する．高い所まで戻るボールは少ししか戻らないボールに比べ床に衝突した直後の速さは大きいことが理解できる．このように，物体が相互に衝突したときの跳ね返り方を表すのに**反発係数**という係数を用いる．この反発係数は次の式で定義される．

$$e = \frac{v_2}{v_1} \quad (e \leq 1)$$

2つの物体が衝突する場合，図3.11に示したように，衝突前に v_1, u_1，衝突後に v_2, u_2 となったとすれば，反発係数は

$$e = \frac{u_2 - v_2}{u_1 - v_1} \quad (e \leq 1)$$

となる．

反発係数 e が1に等しいときは，衝突前の速さと同じ速さで物体は床から跳ね返る．このような場合を**完全弾性衝突**という．

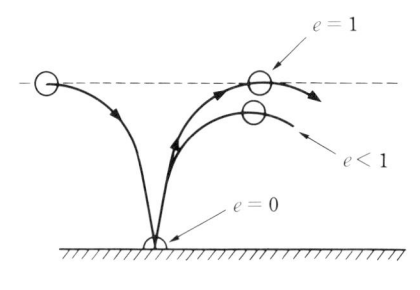

図 3.12 衝 突

問 3.7 野球で打者がデッドボールを受けたとき，ボールの跳ね返りが大きいときの方が，衝撃（傷）が軽いといわれている．この理由を説明せよ．

3.10 仕 事

　私達は日常生活の中で「仕事」という言葉を使っている．この仕事という言葉には，肉体的なものと頭脳的なものとの両方が含まれている．肉体的な仕事という場合について考えると，物に力を加えて動かすといったようなことが多いであろう．この場合，仕事量が多いか少ないかは，加えた力の大小とか，物を移動させた距離が長いか短いかで測っているのではないだろうか．

　物理学でいう仕事も肉体的な仕事のイメージに近く，物体に加えられている力と，物体がその力によって動いた距離の関係を表す量である．

　いま，図 3.13 のようにある物体を点 P から Q まで物体を力 F を加えて動かした場合を考える．このとき，力 F が行った仕事は次の関係式で表現される．

$$[仕事]=[力]\times[距離]$$

　ここで，加えた力の方向と物体の動く方向との関係はどのようになっているだろうか．日常，物を動かしたいとき，動かしたい方向に力を加えるだろうし，動かしたい方向と直角に力を加えたのでは仕事に役に立たないこともわかっているだろう．したがって，このことから物体の運動の方向の力の成分のみが仕事に寄与していると考えてよい．

　以上のことから仕事 W は

$$W = Fs\cos\theta$$

で表せる．

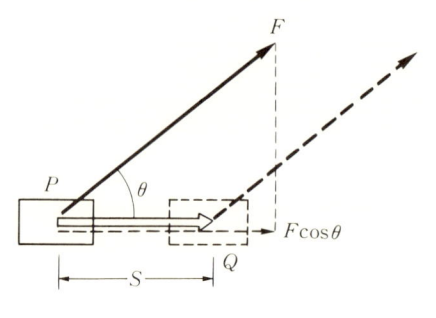

図 3.13 力と仕事の関係

3.10.1 重力の下での仕事

地球上の質量 m の物体には $F = mg$ という力が加わっている．いま物体を真上に高さ h の所まで持ち上げるときの仕事を考えてみよう（図 3.14）．物体には鉛直下方に重力 mg が働いている．この物体を持ち上げるには少なくとも上向きに mg という力を加える必要がある．したがって，最低限 mg という力を加えて距離 h だけ物体を運ばなければならない．よって，このときの仕事は，

$$W = mgh$$

となる．

逆に，高さ h の所にある物体が下に降りてくる場合には重力が $W = mgh$ だけ仕事をしたと，物理学では考える．

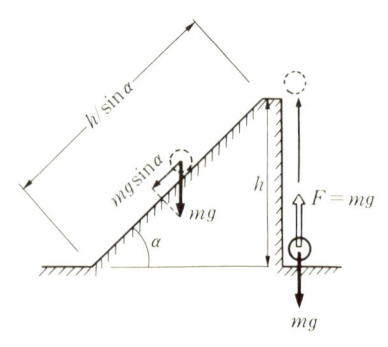

図 3.14 重力の下でする仕事

次に，質量 m の物体を水平面と角度 α の斜面に沿って高さ h の点まで持ち上げるときの仕事を考える（図3.14）．重力 mg は鉛直下方に働いている．この重力を斜面に垂直な成分（$mg\cos\alpha$）と斜面に平行な成分（$mg\sin\alpha$）とに分けて考える．物体は斜面に沿って動くので，斜面に垂直な成分は仕事をしない．斜面の長さは $h/\sin\alpha$ なので，斜面に沿って持ち上げるときの仕事は，

$$W = mg\sin\alpha \frac{h}{\sin\alpha} = mgh$$

となって，真上に持ち上げるときの仕事と同じになる．

斜面に沿って物を持ち上げても仕事量は変わらない．しかし，物を動かすために必要な力（$mg\sin\alpha$）は垂直に持ち上げるときに必要な力（mg）より小さくてすむ．ところが，力で得をしただけ長い距離運ばなければならない．

3.10.2 斜面の応用

山道は真っ直ぐでなくジグザグになっている．これも，斜面に沿う方向の力は，角度 α の斜面ならば，$mg\sin\alpha$ となって，力で得をするからである．木ネジ，ボルト，ナット，万力も同様の斜面の効果を応用した部品である．

問 3.8 テコを使って物を動かす場合，手のする仕事（力点が行う仕事）と，テコの先端が物に対してする仕事（作用点が行う仕事）を，力と仕事の関係で説明せよ．

3.11 摩　擦

前節の説明では，物体の運動方向に垂直な力は仕事に関係しないといった．これは，物体が接触する床面との間で摩擦力が働かない理想的な場合である．床が滑りやすい氷の上のような場合には物を運ぶのは楽で，コンクリートのような滑りにくい床の場合には大きな力が必要なことを日常経験して知っているだろう．これらは，物体と床との間に生じる摩擦のためである．摩擦は，互いの物質の種類とか表面の状態によって決まり，この大きさを表す量を**摩擦係数**という．摩擦によって生じる力を**摩擦力**といい，面に垂直に働く力の大きさに比例している．

水平な床面の上を質量 m の物体を滑らす場合を考えよう（図3.15）．摩擦

係数を μ (ミュー) とすれば，摩擦力は，

$$f = \mu mg$$

であり，物体を動かす方向とは絶えず反対方向に現れる．物体を動かすには，摩擦力 f 以上の力を加える必要がある．このため，摩擦がある床の上を距離 s だけ物体を運ぶためには，

$$W = fs = \mu mgs$$

の仕事をすることになる．摩擦がないときには $W = 0$ であったのとは随分違うことになる．

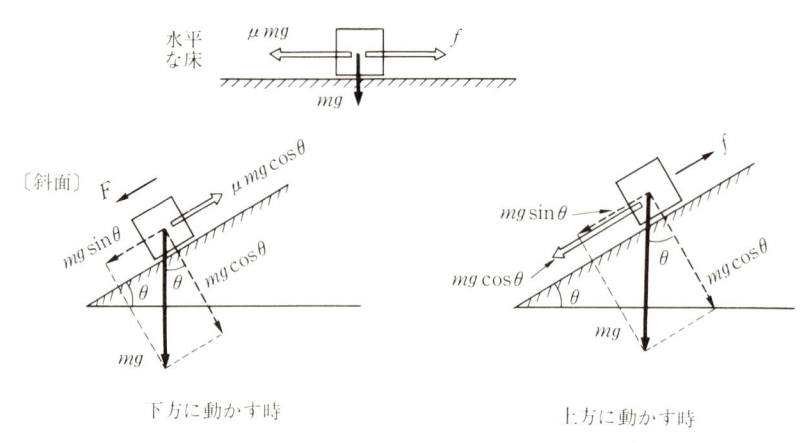

図 3.15 摩擦力

次に，斜面上に物体が置かれている場合を考える（図 3.15）．斜面の傾きを θ とすると，斜面に垂直な方向の力は $mg\cos\theta$ なので，摩擦力は，

$$f = \mu mg\cos\theta$$

である．斜面方向の重力 mg の成分は $mg\sin\theta$ で，斜面に沿って下向きに働いている．摩擦力が重力の斜面方向の成分よりも大きいならば，物体は斜面を滑らない．すなわち，

$$f \geq mg\sin\theta$$

$$\therefore \quad \mu mg\cos\theta \geq mg\sin\theta \quad \rightarrow \quad \mu \geq \sin\theta/\cos\theta = \tan\theta$$

ここで，$\mu = \tan\theta_M$ となる角度 θ_M を**最大摩擦角**と呼ぶ．

物体を斜面に沿って下方に動かすときには，摩擦力が働いている場合，

$$F = \mu mg\cos\theta - mg\sin\theta$$

の力を必要とし，斜面にそって上方に引くときには，
$$F = \mu mg \cos\theta + mg \sin\theta$$
の力が必要になる．

摩擦係数は物体が静止しているときの，静止摩擦係数の方が，運動しているときの摩擦係数（動摩擦係数）より大きい．さらに，車輪などのように，転がっているときの摩擦係数（ころがり摩擦係数）は動摩擦係数よりさらに小さい．

3.12 エネルギー

日常会話の中で，「彼はエネルギッシュだ」とか，「今日はエネルギーを消耗したので美味しいものでも食べよう」，などということがあるだろう．ここでいうエネルギーとは，仕事をする能力とか活動力のことをいっているのであろう．疲れたのでエネルギーを補給するとは，体内にエネルギー源を蓄えることを意味してる．人間の代わりにモーターとかガソリンエンジンを使用するならば，電気とかガソリンなどがエネルーギー源である．では物理学でいうエネルギーとは何だろうか．

質量 m の物体を高さ h だけ持ち上げるときしなければならない仕事は，
$$W = mgh$$
であった．見方を変えれば，物体が mgh の仕事をしてもらったことになる．次に，この物体を自由落下させる．高さ h だけ落下したときの物体の速度は
$$v = gt, \quad h = \frac{gt^2}{2}$$
である．これから t を消去すると，
$$v = g\sqrt{\frac{2h}{g}} = \sqrt{2gh}$$
が得られる．ここで，$K = mv^2/2$ の v に代入すると，
$$K = \frac{mv^2}{2} = \frac{m(\sqrt{2gh})^2}{2} = mgh$$
となって，質量 m の物体を高さ h だけ持ち上げるときに行った仕事に等しくなる．このことは，質量 m の物体を高さ h だけ持ち上げるときに行った仕事

が，高さ h だけ自由落下することによって K に変換されたと考えられる．この K を**運動エネルギー**という．この運動エネルギー（$K = mv^2/2$）と**位置エネルギー**（$U = mgh$）の和を**力学エネルギー**という．

一般的にいえば，高さ h の所で速度 v で運動している質量 m の物体が持っている全エネルギー E は，位置エネルギー U と運動エネルギー K との和になっていて，

$$E = K + U = \frac{mv^2}{2} + mgh = 一定$$

の関係が，空気の抵抗や摩擦がない場合には成り立っている．これを**エネルギー保存の法則**という．

空気の抵抗や摩擦があるときには，運動エネルギーの一部が熱になって逃げるため，エネルギー保存法則は成り立たない．このときには，速度はエネルギー保存の法則が成り立っているときに予想される速度より小さい．摩擦などで発生する熱も，後に述べるように，エネルギーの一つの形態である．したがって，

$$E = [運動エネルギー] + [位置エネルギー] + [熱エネルギー]$$

とすると，より広い範囲でエネルギー保存の法則が成り立つことになる．

自動車などのブレーキは運動エネルギーを摩擦による仕事を通して熱エネルギーに変えて車を停止している．自動車の持つ運動エネルギーは，速度の2乗に比例しているので，速度が2倍になれば運動エネルギーは4倍になる．ブレーキの制動力 F が一定ならば，自動車が停止するまでの距離を s とすれば，停止するために要する仕事は，

$$W = [制動力] \times [距離] = Fs$$

である．したがって，自動車の速度が2倍になれば，停止するまでの距離（制動距離）は4倍となることが理解できる．

問 3.9 20 km/h で走行している自動車の制動距離が 5 m であった．いま，この自動車を 40 km/h で走行しているときの制動距離を 5 m とするには，ブレーキの制動力を何倍にする必要があるか．

3.12 エネルギー

★**馬力**(horse power)★

馬1頭が行う仕事(1秒間の仕事量:仕事率)という定義から生まれた.

フランスでは　1仏馬力(PS)＝75 m・kgf/s＝735.5 W

イギリスでは　1英馬力(hp)＝550 ft・lbf/s＝745.7 W

この数字だけで見るとイギリスの馬の方が優れていたのだろうか？

なお,人間1人が行う仕事率は約1/20馬力といわれている.

自動車などのエンジンの出力は現在では馬力でなくkW(キロワット)で表示されている.

4 章
流体力学

　前章では，形を持った物体の運動について考えた．地球上の物体では，形が定まっていない物質が数多くある．このような物質を**流体**と呼ぶ．流体には気体と液体の両者がある．私達の周囲にある流体の代表的なものは，空気と水である．このような物質の運動について考える物理学を**流体力学**という．

4.1 圧　　　力

　圧力とは，単位面積（1 m²）あたりに働く力のことである．したがって，気圧とは空気が単位面積に及ぼす力であり，水圧とは水が単位面積に及ぼす力である．SI 単位系では圧力の単位はパスカル（Pa）を用いる．ところが，SI 単位系が浸透した今でも，ミリバール（mb）とかトリチェリー（トール，Torr），mmHg といった単位で圧力を表している場合がある．そこでまず，圧力の換算の仕方を示しておく．

　　　　1 バール（bar）＝10^6 dyne/cm²＝10^5 N/m²＝10^5 Pa
　　　　1 Torr＝1 mmHg＝133.322 Pa
　　　　1 気圧（atm）＝760 mmHg＝101325 Pa＝1013.25 mb
　　　　（注）　1 N＝10^5 dyne，hPa はヘクトパスカルと読み，ヘクトは 100 倍の意味．

　海に潜るとき，深く潜るほど，水圧が大きくなるのを感じるであろう．この

ことから予想できるように，水圧は水の重さではないかということが推定できる．では，気圧は大気の重さであろうか．もし，そうであれば，山を高く登れば登るほど，気圧は低くなるであろう．これを確かめる実験がフランスのトリチェリー（E. Torricel'li；1608～1647）によって行われた．彼は一端を閉じた長さ1mほどのガラス管に水銀を満たして，その開いている端を水銀溜に浸すと，平地では約76cmの高さまで水銀柱が下がって安定することを実験した（図4.1）．そして，この装置を持って高い山に登り，高く登るほど水銀柱の高さが低くなることを確かめた．これは，水銀気圧計（フォルタンの気圧計）の原型である．

（**注**）　高度が100m高くなるごとに気圧は12hPa低くなる．

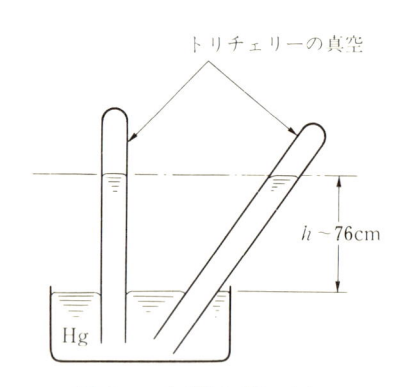

図 4.1　水銀気圧計の原理

水銀気圧計は，水銀の重さと，空気が水銀溜部の水銀液面を押す力とが釣り合うことを利用して空気の重さ（気圧）を測っている．ガラス管内部の断面積をS，気圧をP，水銀の密度をρ（ロー），水銀柱の高さをhとする．水銀溜部の水銀面に加わる気圧は，水銀を通して水銀溜内に浸されたガラス管の開いた面に圧力を加える．この圧力とガラス管内の水銀の重さとが釣り合っている．すなわち，

$$PS = \rho g h S \quad \rightarrow \quad P = \rho g h$$

となり，水銀柱の高さで気圧が測定できる．水銀の密度は常温で$\rho = 13.6$ g/cm^{3}である．1気圧は水銀柱にして76cmなので，このときの圧力を計算してみよう．

$$P = \rho g h = 13.6 \times 980 \times 76 = 1.013 \times 10^6 \ (\text{dyne/cm}^2)$$
$$= 13.6 \times 9.8 \times 0.76 = 1.013 \times 10^2 \times 1000 \ (\text{kN/m}^2)$$
$$= 1.013 \times 10^2 \ (\text{kPa}) = 1013 \ (\text{hPa})$$

圧力の特徴は,面の方向に関係なく,あらゆる方向に同じ力が働くということである.したがって,大気中では,私達の身体の表面にはすべて等しい圧力が加わっている.

海に潜ると10mにつき1気圧ずつ水圧が増加するということは知られている.このことを計算してみよう.

$$P = \rho g h = 1 \times 9.8 \times 10 = 98 \ (\text{kPa}) = 98/101.3 \sim 1 \ (気圧)$$

以上の計算でわかるように,100m潜れば水圧10気圧と大気の圧力1気圧を加えた11気圧が加わることになる.人が潜水服を着て海中に潜水したときには,人の体内も海水から受ける圧力に等しくなっていなければ呼吸ができない.すなわち,血液中に多量の空気を溶け込ませて調節している.もし,急激に浮上すれば,血液中に溶けている空気が,ちょうどサイダーやビールの栓を抜いたときに泡が出るように,血管内で泡となって,血液の流れを妨げる.これが潜水病(潜かん病)である.潜水病の治療は大型タンクの中に患者を入れ潜水していた水深に相当する圧力まで空気の圧力を上げて,血液中の泡を再度,溶け込ませた後,徐々に圧力を下げて1気圧に戻す方法を用いる.この治療方法は,炭酸ガスなどを多量に吸い込んで,血液中のヘモグロビンの活性が失われたときにも応用されている.

人が宇宙空間で作業する時代になってきた.宇宙空間では圧力は0であるため,宇宙服を着用して呼吸ができるようにするとともに,潜水病のように,血管内の空気が泡となるのを防いでいる.

空気は,約80%の窒素と20%の酸素から成り立っている.したがって,1気圧の空気ならば,酸素が0.2気圧,窒素が0.8気圧存在していることになる.これを**分圧**という.私達の身体は,酸素の分圧にして,その20%の変化に耐えられる.もし,これ以上の変化があると,頭痛,吐き気を催す.これが高山病とか低酸素病といわれるものである.酸素の分圧が20%低下することは,高度2,000mに相当している.したがって,高空を飛ぶ飛行機は少なくとも2,000mの高度に相当する圧力を加えねばならない(与圧という).しか

し，チベット，ヒマラヤ，アンデス，メキシコシティーなど，高地で生まれ育った人々は，肺活量が増大し，赤血球が多くなっている．この人達が平地に降りてくると，代謝能力が大きく，大量の酸素を送り込むことができるため，スポーツなどで活躍が期待できる．このことを利用しているのが高地トレーニングである．

パスカル（Blaise Pascal；1623～1662）

　16歳のときアポロニウムの円錐曲線について研究し，1冊の書物を著した．そして，19歳のときには歯車を使用した計算機を発明した．まさに神童そのものであった．法律家で数学者のフェルマ（P. Fermat'；1601～1665）との交流を通して，現代の確率論の基礎をつくった．これは後のマックスウェル（J.C. Max'well；1831～1879）による原子・分子の運動を記述する分子運動論につながっている．
　アルキメデスのテコと同じ働きをする水圧機の基礎理論を展開した．また，トリチェリが手がけ，大気に重さがあるならば，上空に登るに従って気圧は減少することを，気圧計を持った弟子を山に登らせ確かめさせた．この実験の後は，体の弱かったパスカルは，宗教上の著作と祈り，そして病気との闘いを数年続け，短い生涯を閉じた．パスカルの著書"パンセ"はあまりにも有名である．

4.2　圧力を測る

　私達の身体には，ほぼ1気圧が絶えずかかっているが，それを感じることはない．しかし，ひとたび，水中に潜ると圧力を感じるし，急激に気圧が変化すると，耳なりなどの鼓膜の異常を感じる．ここでは，圧力を測定するいくつかの器具とその原理を考え，その医療現場での応用について考える．

4.2.1　マノメーター

　ガラス管などを図4.2のようにU字型に曲げて，その中に油，水銀を入れたものを**マノメーター**と呼ぶ．U字管の一端に圧力P_1，他端に圧力P_2が加わっている場合，圧力差P_2-P_1（$P_2>P_1$とする）に相当する高さhだけ管内の液面に差が生じる．液の密度をρとすると，

$$P_2 - P_1 = \rho g h$$

という関係式が成り立つ．ここで，P_1 を基準の圧力（例えば大気圧）とすると，基準の圧力に対しての圧力の大小が測定できる．

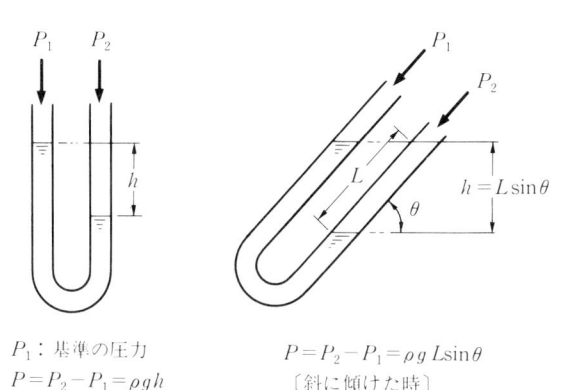

P_1：基準の圧力
$P = P_2 - P_1 = \rho g h$
〔垂直の時〕

$P = P_2 - P_1 = \rho g L \sin\theta$
〔斜に傾けた時〕

図 4.2 マノメーター

　液体として水銀を用いたものを**水銀マノメーター**といい，一般に圧力を「mmHg」で測る．医療器具で利用されているものとしては血圧計がある．水銀の密度は大きく $\rho = 13.6 \, \text{g/cm}^3$ なので比較的大きな圧力を測定するのに適している．低い圧力を測定するには，密度の小さい液体，水，油を用いればよい．油の密度は約 $\rho = 0.8 \, \text{g/cm}^3$ なので $13.6/0.8 = 17$ 倍程度液柱の高さ h が拡大される．さらに，圧力を読む精度を良くしたければ，液柱を傾ければよい．垂直方向の液面の高さ h は同じであるが，液柱が角 θ だけ傾けられていれば，管に沿った長さ L は $L = h/\sin\theta$ となって $1/\sin\theta$ 倍だけ読み取り精度は高くなる．

4.2.2 血 圧 計

　人間の体内には血液が流れている．血液は，白血球，赤血球，血小板などで構成されている．毛細血管は，細い所では $5 \sim 6$ ミクロン（μm）である．ところが，赤血球の大きさは $10 \, \mu$m ほどである．なぜ，毛細血管の中を血液は流れることができるのだろうか．これは，心臓の拍動によって血液に圧力を加えることで可能となっている．この血液の圧力を測る装置が血圧計である．血

圧測定は，腕動脈の内部の圧力を，水銀マノメーター，マンシェット，加圧ポンプの組合せで測るのが最も一般的である．

この測定方法は，血圧をマンシェット内の空気の圧力と釣り合わせることで測る，間接測定である．マンシェット内の気圧と腕動脈内の血圧が釣り合っているか否かを判定するために，聴診器を用いて拍動が再開する点，拍動が消失する点を求めている．マンシェット内の気圧は水銀マノメーターで測定している（図 4.3）．圧力は $\rho g h$ で与えられるが，血圧の場合，水銀柱の高さ h をミリメートル単位で表した mmHg を用いるのが一般的である．

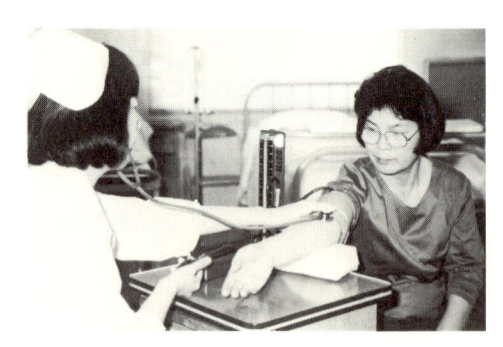

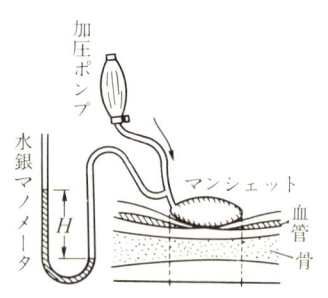

図 4.3 血圧測定

私達人間は，地球上で直立した姿勢で過ごせるように体の構造が作られている．しかし，長時間立ったままの姿勢でいて足先がむくんできたという経験を多くの人が持っていると思う．

1992 年 9 月 12 日に打ち上げられたスペースシャトル・エンデバーに搭乗した日本人初の宇宙飛行士・毛利衛さんが宇宙からの授業の中で，次のような実験を披露している．

地球上にいるとき自分の足（太股）の周囲の長さと首の周囲の長さを測定しておく．スペースシャトルで宇宙空間に滞在しているときに同じ部分の長さを測る．すると，足周りは 2〜3 cm 短く，首周りは〜2 cm ほど長くなっていた．これはなぜなのだろうか？

これは重力の有無に関係がある現象である．地球の周りを周回する衛星（スペースシャトル）には万有引力（地球の重力）が向心力として働いているが，内部に搭乗している人間には慣性の法則によって，その引力を打ち消すだけの

力が外向きに働くため，互いに打ち消し合い無重力となる（厳密には衛星の重心の位置のみ）．このため衛星内部では人体内の血圧はすべての場所でほぼ等しくなる．地球上では1Gの重力が働いている．血液の密度を ρ_B，心臓から足までおよび首までの距離をそれぞれ l_f, l_t とすると，地球上では足の血圧は心臓の位置での血圧より $\rho_B g l_f$ だけ高くなり，首の位置の血圧は $\rho_B g l_t$ だけ低くなっている．無重力の下ではこの血圧差だけ首の血圧は上昇し，足の血圧は下降する．これが首や足の太さが変化した理由である．このような宇宙環境の下での人体の生理などを研究する学問が宇宙医学である．さらに，このときのエンデバーでは「ふわっと'92」計画で様々な実験が行われた．これは無重力の環境では浮力の影響を受けないため，質量差が大きい2種類の物質を均一に混ぜ合わすことができるし，物質を支える容器も必要ないため，壁から不純物が混入することもないという特徴を活かした実験であった．なお，1992年9月20日にエンデバーは8日間の飛行を終え全員元気に地球に帰還した．

問4.1 血圧測定において，拍動の再開時，消失時の圧力と，最高血圧，最低血圧との関係について述べよ（実際に血圧測定を行うときの様子を思い出すこと）．

問4.2 水銀マノメーターを使用して血圧測定を行うときの注意事項について次の点について答えよ．
　　ⅰ）マノメーターを取扱うとき，設置するときの注意は．
　　ⅱ）腕の位置と心臓の位置との関係は．
　　ⅲ）マンシェットを巻くのは右腕がよいか，左腕がよいか．また，それはなぜか．

4.2.3 ボンベの圧力

病院には医療用の酸素ボンベが置かれている．このボンベ内の酸素の圧力はどのようにして測っているのだろうか．酸素ボンベを使用するときには，ボンベの頭部に減圧器（レギュレーター）が取り付けられる．減圧器には，目盛りが付いたパネルの上を指針が回転するようになっている．これが，高い圧力を測るときに使用されるブルドン管と呼ばれるものである（図4.4）．ブルドン管の基本原理は，図4.4のように曲げた金属のパイプの一端が閉じられ，他端が高圧のガスに接続されている．金属パイプに圧力が加わると，曲がっているパイプは真直に延びる方向に変形するので，閉じた部分にテコをとうして指針

を接続しておけば，圧力に応じて指針で圧力を測定できる．一般に減圧器に付いているブルドン管による圧力指示は kg 単位で記されている．1 kg の指示値はほぼ 1 気圧（1 atm）に等しい．

ちなみに，大型の酸素ボンベに規定値までガスを充填したときの圧力は 150 kg であり，これが大気圧（1 気圧）となって放出されると 7,000ℓ となる．

近年では，圧力が加わると起電力が生じるとか，電気抵抗が変化するといった性質を持った半導体センサーが開発され，電圧や抵抗値をブリッジで測定する方法で圧力が測定されるようになっている機器もある．

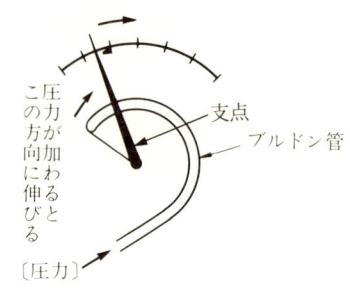

図 4.4 ブルドン管

4.3 圧力を利用する

液体とか気体は，その一部に加えられた圧力は，あらゆる方向に一様に伝わる．この性質を利用して，様々な医療器具や装置が開発・製作されている．ここでは，いくつかの圧力の性質を応用した装置を取り上げ，その原理と使用方法について述べる．

4.3.1 点滴装置

私達の体内（静脈）に多量の薬液を投与するときに，図 4.5 に示すような装置を使用する．この装置はどのような原理で薬液が静脈内に注入されるか考える．

薬液が静脈内に入っていくためには，静脈内の血圧（静脈圧）よりも薬液の圧力を高くしなければならない．では，静脈圧はいくらだろうか．上腕部では静脈圧は個人差はあるが，10〜14 mmHg である．したがって，点滴装置の針先にこの圧力より高い圧力を加えると薬液を注入できる．薬液の密度は，ほぼ $\rho = 1 \text{ g/cm}^3$ と考えてよいので，静脈圧を水柱の高さに換算すると，

$$10 \times 13.6 \sim 14 \times 13.6 = 136 \sim 190.4 \text{ mmH}_2\text{O}$$

なので，最低 $H = 20$ cm 程度であれば血液の逆流は起こらない．実際に点滴

を行うときには，$H=50\,\mathrm{cm}$ 程度にしている．このときに針先の加わる薬液の圧力は，

$$P = 500\,\mathrm{mmH_2O} = 500/13.6\,\mathrm{mmHg} = 36.8\,\mathrm{mmHg}$$

となっている．液面の高さを薬 50 cm にする理由は，細い針と途中の管内を液が通るときの抵抗（粘性抵抗）を考慮しているからであり，クランプを取り付けるのは，流れる液量を管の太さを変えて調節するためである．

薬瓶と針を接続する管を少したるませて，管の一番下がった所が針の高さより低くなるようにすることである．これは，薬液がなくなったとき不足の事故で空気が血管内に入るのを防ぐことと，薬液内のゴミ等の不純物を管の最下点に留めて，不純物が血管内に入るのを防ぐという意味で重要である．家庭の流しの下にある排水管がループ状に折曲げてあるのはこれと同じ原理に基づいた工夫である．

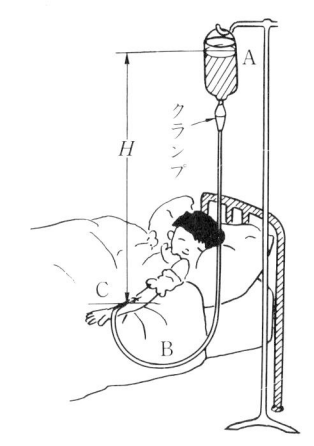

図 4.5 点滴装置
前田昌信，看護にいかす物理学，医学書院（1979）より

問 4.3 点滴装置で針から薬液面までの高さが 50 cm であったとき，針の先端に加わる圧力は何気圧（atm）となるか．

4.3.2 水圧機，油圧装置

診察台を上下させたり，自動車など重い物を持ち上げたりする機械で，太いシリンダーが出入りしているのを見かける．これが油圧ジャッキ（油圧装置）である．この装置では，重い物を上下するためには，小さなピストンを小さな力で押せば事足りる．小さな力で大きな力を生み出すことができる点ではテコとよく似ている．この装置は，液体（流体）の一部に加えられた圧力はあらゆる方向に一様に伝わるという性質を応用している．すなわち，断面積の異なる 2 つのシリンダーにピストンが図 4.6 のように液体が満たされたパイプに取り付けられている．断面積 s の細いピストンを力 f で押すと，単位面積あたり $P=f/s$ の圧力が液体に加わる．この圧力はそのまま太い断面積 S のピストン

に加えられる．太いピストンに加わる力は，

$$F = PS = S\frac{f}{s} = f\frac{S}{s} \quad (S>s)$$

となる．

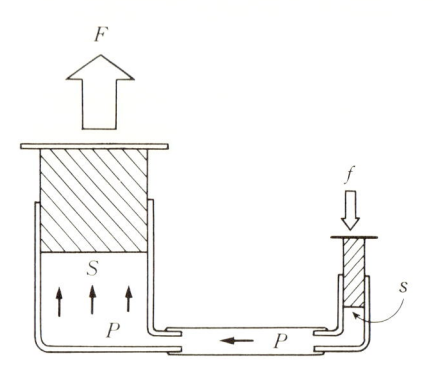

図 4.6 油圧ジャッキ

このことから，大小のピストンの面積比（S/s）が大きいほど，大きな力が取り出せることがわかる．内部の液体は圧力が加えられてもほとんど体積が変化しないため，小さなピストンの移動する距離が l ならば，押し出される液体の体積は sl であり，その結果動く太いピストンの移動する距離を L とすれば，

$$sl = SL \quad (S>s)$$

となって，$L<l$ となり，仕事では得をしない．

図 4.6 に示すパイプ内に油を入れたときは，油圧装置（油圧ジャッキ）といい，水を入れた場合には，水圧機という．

4.3.3 注射器

医療器具では最も一般的なものである．その構造は図 4.7 のようになっている．以前はガラス製で煮沸消毒を行って何度も使用していた．最近では B 型肝炎，エイズなどの感染問題があって，プラスチック製の使い捨てのものになっている．

筒内の薬液はピストンを押すとその圧力によって先端の針から血管内，あるいは皮下に送り込まれる．針の部分の断面積を s，ピストン部の断面積を S と

する．ピストンを力 F で押すと，薬液に生じる圧力 P は，
$$P = \frac{F}{S}$$
で求められる．この圧力がすべての方向に等しく伝わるため，針を通って出ていく薬液にも同じ圧力が働いている．したがって，針の断面に働く力 f は，
$$f = Ps = \frac{Fs}{S}$$
となる．$s<S$ であるため $f<F$ となっている．この関係から，注射器が太いほど，薬液を送り込むためには大きな力が必要となる．

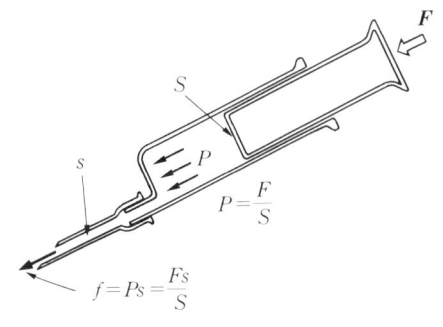

図 4.7 注射器

4.4 浮　　力

　アルキメデスがシラクサの王から，王冠の金に混ぜ物があるかどうかを，王冠を壊すことなく，調べることを命令された．彼は日夜考えたあげく，風呂に入ったとき，湯が溢れるのを見て，方法がわかったといいながら，裸で町中を走ったという話は有名である．また，私達の身体は，息を吸い込んでいると水に浮くけれども，吐き出してしまうと沈むのはなぜだろうか．ヘリウムを入れた風船や熱気球は空に浮くのはなぜだろうか．これらの現象は浮力によって説明できる．

4.4.1 浮力とは

　アルキメデスによって発見され，**アルキメデスの法則**ともいわれる．液体や気体（流体）の中に置かれた物体は，物体が排除した液体や気体の重さに相当

するだけ軽くなる．これが**浮力**である．

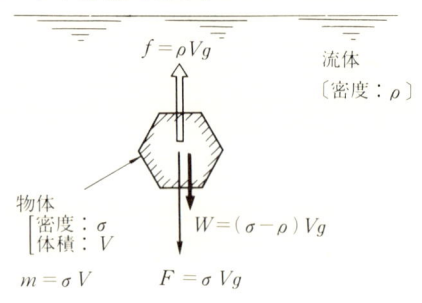

図4.8 流体中で物体に働く浮力

いま，図4.8のように，密度 ρ の流体の中に，密度 σ，体積 V の物体が置かれている場合を考える．物体に働く重力 F は，
$$F = \sigma V g \quad (物体の質量\ M = \sigma V)$$
であり，物体が流体の中にあるか否かに関係なく鉛直下方に働いている．この物体の体積に等しい流体の質量 m は，
$$m = \rho V$$
である．したがって，物体に働く浮力 f は，
$$f = mg = \rho V g$$
となり，鉛直上向きに働く．したがって，流体中に置かれた物体に働く力の合力 W は，
$$W = Mg - mg = \sigma V g - \rho V g = (\sigma - \rho) V g$$
となり，流体中では物体の重さは
$$(M - m) = (\sigma - \rho) V$$
となったように感じる．

以上の関係から，流体の密度 ρ より物体の密度 σ が小さい（$\rho > \sigma$）ときには，$W < 0$ となる．すなわち，物体は流体に浮くことになる．

(1) 氷は水に浮く

水の密度は $\rho = 1\,\mathrm{g/cm^3}$，氷は水より少し密度が小さく $\sigma = 0.9\,\mathrm{g/cm^3}$ である．そのため，氷山は海に浮き，全体の1割が海面上に出ているだけである．同様に，木材の密度はほぼ $0.5\,\mathrm{g/cm^3}$ 程度である．やはり，水より密度は小さ

いので水に浮くことが理解できる．

(2) 水銀に浮く金属

水銀の密度は $\rho=13.6\,\mathrm{g/cm^3}$，鉄の密度は $\sigma=7.86\,\mathrm{g/cm^3}$，金の密度は $\sigma=19.3\,\mathrm{g/cm^3}$，銀の密度は $\sigma=10.5\,\mathrm{g/cm^3}$ なので，鉄と銀は水銀に浮くが金は沈むことがわかる．

(3) 空気に浮く風船

気体の場合を考えてみよう．

空気の密度は $\rho=1.3\,\mathrm{g}/\ell$，水素の密度は $\sigma=0.0898\,\mathrm{g}/\ell$，ヘリウムの密度は $\sigma=0.179\,\mathrm{g}/\ell$ である．このことから，空気より水素，ヘリウムは軽いため，これらを入れた風船は空気中に浮くことがわかる．

(4) 人はなぜ水に浮く

真水の密度は $\rho=1.0\,\mathrm{g/cm^3}$，海水の密度は $\rho=1.02\,\mathrm{g/cm^3}$，人体の密度は $\sigma=1.05\,\mathrm{g/cm^3}$（肺の中に空気がない場合の平均値）である．

私達の身体の密度は平均値で $1.05\,\mathrm{g/cm^3}$ ということは，身体には相当量の水が含まれていることを暗示している．さて，私達が水に入ったとき，肺の空気を吐き出してしまったときには浮くことはできないが，肺に息を吸い込むと平均の密度が $1.0\,\mathrm{g/cm^3}$ より少し小さくなり，浮くことができる．また，海水の方が真水より少し密度が大きいので，海水の方が浮きやすいことも理解できるであろう．

★体内の水の量★

人は体重の 60 ％ が水分（体液）である．その体液の 3 ％ が失われると体温が不安定になり，5 ％ が失われると運動機能が低下し，10 ％ が失われると意識を失うようなことになる．

夏の暑い時期，特に運動時における熱中症を起こすことが多くなる．これらは体内の水分（体液）が失われることによって起きる症状であり，十分な水分をとることによって対応できることが理解できるであろう．

体脂肪率は人体の密度が体脂肪の大小によって変化すること，すなわち，体脂肪が多くなるほど人体の密度が $1.05\,\mathrm{g/cm^3}$ より小さくなることを用いている．プールに備え付けられた体重計に座り，水のないときの体重と，肺の空気を十分吐き出した状態で水中に全身が入ったときの体重計の指示値から求めている．一般に用いられている体脂肪計は，体脂肪が多いほど電気抵抗が大きくなることを利用していて，プールを用いたデータに基づいて校正がなされている．体重を測定時に入力するのはこのような理由によっている．

★体脂肪の測定原理★

　脂肪は電気を通しにくい性質を持っている．一般の体脂肪計はグリップの電極から弱い電気を通し，その流れやすさ（電気抵抗）を測り，身長・体重・性別のデータを組み合わせて体脂肪の量を求めている．電気を通しにくければ肥満，通しやすければ痩せていると判断される．

　さらに正確な体脂肪率を求めるには浮力を用いる．体脂肪は水より軽いので，脂肪の量が多いほど人体の平均密度は標準の $1.05\,\mathrm{g/cm^3}$ より小さくなる．したがって，人体全体が入る水槽の底に体重計を設置し，水を入れない状態の体重をまず測定する．次に肺の中の空気を吐き出した状態で水を体全体がつかるまで入れた状態での重さを測る．体脂肪が多いほど浮力が大きくなり，水中での重さが小さくなるので，この数値から体脂肪率を求めることができる（問 4.4 参照）．

問 4.4　体重 60 kg の人が完全に真水に入り，肺の空気も吐き出してしまった状態で水中に置かれた体重計で体重測定を行うと，体重計は何 kg を示すか．

4.4.2　浮力の医療への応用

人体の密度は，水の密度にほぼ等しいので，水の中に入ると人体に働く重力と浮力は釣り合う．したがって，見かけ上，重力が 0（働いてない状態）になる．これを，リハビリテーションとか宇宙飛行士の訓練に応用している．

A．リハビリテーション

長期にわたる病気の後とか，ケガで手足をギブスで固定していると，手や足の筋肉が衰える．水中を歩くとか，水中で手足を動かすには，重力の影響がほとんど無いので，わずかな筋力で良い．これは，衰えた筋肉をゆっくりと鍛

え，運動感覚を取り戻すのに適している．また，水温を適当な温度まで高めることで，皮膚，血管を刺激し，血行を良くするなどのマッサージ効果も期待できる．

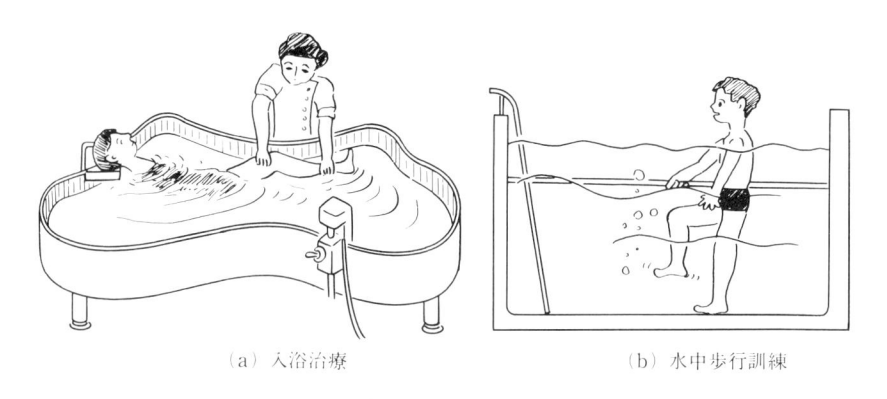

(a) 入浴治療　　　　　　　(b) 水中歩行訓練

図 4.9　浮力をリハビリテーションに応用
前田昌信，看護にいかす物理学，医学書院（1979）より

B. 宇宙飛行士の訓練

人工衛星の中では，地球の重力と衛星の回転運動による遠心力（向心力の反作用）とが釣り合うために，無重力状態となる．このような状態では，歩行することひとつを取り上げても，日常とは勝手が違っている．宇宙空間で作業する宇宙飛行士が地球上で訓練するには，大きなプールの中へ，宇宙服に似せた潜水服を着て入る．おもりなどを調節すると，重力と浮力が釣り合うため無重力状態に似た状態を作り出せる．

4.5　液体，気体の流れ

液体や気体の運動は，固体の運動に比べて，形が自由に変化する物体だけに複雑である．一様に整然と流れることもあれば，複雑に渦巻きが生まれることもある．これらの現象を精度良く表現するには，高度の数学の知識が必要である．水の流れ方などは，治水，灌がい，水道を作るなどの目的で古くから研究されている．ベルヌーイ（D. Bernoulli；1700〜1782）による流れの全体像を把握した研究，カルマン（T. von Karman；1881〜1963）による渦の研究は有

名なものである．

4.5.1 粘　　　性

液体でもサラサラした水，アルコールのようなものもあれば，グリセリン，重油のようにネバネバしたものもある．水の中で物体を動かすのと比べて，グリセリンの中で動かす方が，物体の受ける抵抗が大きい．このような抵抗の大きさを表す量として**粘性係数**を用いる．この粘性係数は，気体や液体を作っている原子や分子が互いに及ぼし合う摩擦力によって現れていると考えられる．

人間の血液にも粘性がある．スポーツなどで多量の汗を流せば，血液は粘性が強くなるし，毎日の食物によっても粘性は変わる．悪性のコレステロールが血液中に多い人が，多量の汗をかくと，粘性が増加し血栓を起こしやすくなるので，注意が必要である．

4.5.2 層　　　流

水などの流体を管や溝に流したとき，どのような流れ方をするだろうか．壁のすぐ近くの流体は，壁との間の摩擦（粘性）でほとんど動けないが，少し内側では隣の流体が動くので，壁に近いものよりは動ける．このように，隣合う流体の間で互いの速さの差がほぼ同じだとすれば，管内を流れる流体の速さの分布は図4.10のようになるであろう．このような流れの速さ（流速）の分布になる流れ方を**層流**と呼ぶ．図4.10に示した流速分布の形は比較的管の直径が小さい場合で，十分に太い管では，管の壁付近では流速が管中央にいくに従って大きくなり，中央付近では一定の流速を持つようになる．

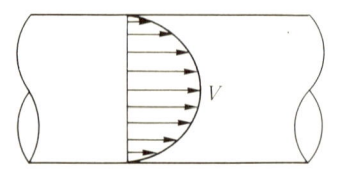

層流では，中央が流速最大となる．

図4.10　管内を流れる流体の流速分布

4.5 液体，気体の流れ

★ゴルフボールのディンプル，硬式テニスボールの毛★

ゴルフボールは，最初に作られたときは表面が滑らかなものであった．あるとき偶然に，表面にキズのある古いボールを打ったところ，キズのないボールより飛距離が伸びた．このことから，わざわざキズをつけたりして，工夫を凝らすようになり，現在の，ディンプルと呼ばれる凹凸のついたものになった．

硬式テニスボールの表面が毛羽だっているのも，このディンプルと同じ役割をしている．これらは，気体の流れは物体表面では粘性のため物体表面との間の相対的な流速が 0 であり，表面から離れるに従って流速が増加する．このことは，ボールのディンプルや毛が積極的に流れを整え，流れの後にできる渦の領域をより小さくでき抵抗を減少させる働きをするからである．

4.5.3 ベルヌーイの定理

流れに渦など乱れがないとき，流体の速度，圧力，エネルギーの関係を与える定理で，粘性は考慮されていない．いい替えれば，粘性による影響が無視でき，流体が圧縮などで体積を変えないような場合に，この定理を当てはめることができる．

固体では，位置エネルギーと運動エネルギーとの間には保存関係が成り立っていた．流体の場合でも，単位体積の流体に着目すれば，固体の運動の場合とほとんど同じように考えてよい．これがベルヌーイの定理の基本的な考え方である．流体の中にゴミなどがあると，流体の動きにつれて動くので流れの様子がわかる．これらの時間とともに動く位置を記していくと 1 本の曲線が描かれる．これを**流線**と呼ぶ．この流線の束を考えると，図 4.11 のような，流れに沿った管が描かれる．これを**流管**と呼ぶ．この流管の 2 点，A，B を選び，断面積 (S_A, S_B)，水平面からの高さ (h_A, h_B)，流速 (v_A, v_B)，流体内の圧力 (P_A, P_B) と流体の密度 ρ の関係を考える．単位体積の流体の持つエネルギーは表 4.1 のようになる．

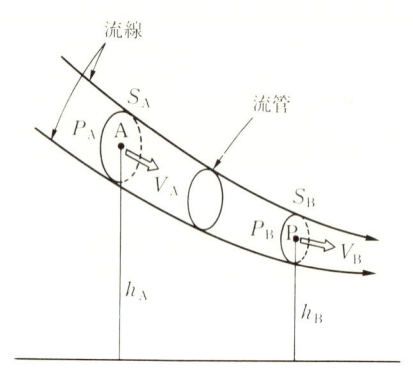

図 4.11 流管とベルヌーイの定理

表 4.1 単位体積の流体の持つエネルギー

場所	A	B
運動エネルギー	$\rho v_A^2/2$	$\rho v_B^2/2$
位置エネルギー	$\rho g h_A$	$\rho g h_B$
圧力	P_A	P_B

これらの量の間に次のような保存関係が成り立っている．すなわち，

$$\frac{1}{2}\rho v_A^2 + \rho g h_A + P_A = \frac{1}{2}\rho v_B^2 + \rho g h_B + P_B$$

いい替えると，

$$\frac{1}{2}\rho v^2 + \rho g h + P = \text{一定}$$

となる．これを**ベルヌーイの定理**という．

さらに，A，B点の中間の側壁から流体が流入したり，流出したりしなければ，A点を1秒間に通過した流体（流量）はB点で1秒間に通過する流体の量に等しくなければならない．この関係は次の式で与えられる．

$$\rho v_A S_A = \rho v_B S_B \quad \text{（質量保存の式，流量一定の式）}$$

ベルヌーイの定理において，$\rho v^2/2$ を**動圧**，P を**静圧**と呼ぶ．

4.5.4 水槽の穴から出る水

水槽の底付近に開けられた穴から出る水の流速を求めてみよう．水槽が十分大きければ，穴から流出する水は水槽内部の水に影響を与えないで，層流になっていると考えてよい．水槽の水の表面には大気圧 P がかかっている．

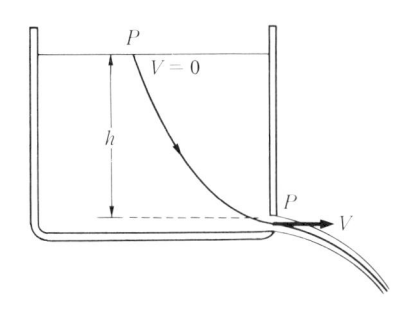

図 4.12 穴から流出する水

図 4.12 の矢印が付けられた曲線のような流れに対してベルヌーイの定理を適用する．水槽内の水の水面では流速は 0，穴の出口での流速を V，穴の位置から水面までの高さが h であったなら，

$$P + \rho g h = \frac{1}{2} \rho V^2 + P$$

という関係が成り立っている．この式から穴から出る水の流速 V を求めると，

$$V = \sqrt{2gh}$$

となる．これは，高さ h の位置から質量 ρ の物体を自由落下させたときの物体の速度と同じであることに注意しよう．

穴を流速 V で出た後の水はどのような軌跡を描くだろうか．物体を水平に速度 V で投げ出すと，水平方向の速度 V は一定であり，鉛直方向には自由落下するため，その軌跡は放物線を描く．穴から流出した水の形も放物線を描くことに注目しよう．

4.5.5 流れの速度を測る

気体や液体の流速を測るにはどのような方法があるだろうか．水路を流れている水の早さは，水面に木の葉などを浮かべれば，その動く早さで推定できる

であろう．では，空気など気体の流速はどのような方法で測るのだろうか．正確に流速を求める方法や器具が目的に応じて，色々と発明されている．そのいくつかについて述べてみたい．

A. ヴェンチュリ管

1本の管の一部を図 4.13 のように細くしぼる．この部分と太い部分とをマノメーターで接続し，その中に水銀などを入れる．管の太い部分と細い部分の断面積，流速，圧力をそれぞれ，(S, s)，(V, v)，(P, p) とし，流体の密度を ρ とする．管が水平に置かれているならば，ベルヌーイの定理から

$$\frac{1}{2}\rho V^2 + P = \frac{1}{2}\rho v^2 + p$$

が成り立つ．また，質量保存の式から

$$\rho v s = \rho V S$$

が成り立っている．この式から v を求め，ベルヌーイの式に代入すると，

$$v = V(S/s)$$
$$P - p = \rho(v^2 - V^2)/2$$
$$= \rho\{V^2(S/s)^2 - V^2\}/2$$
$$= \rho V^2\{(S/s)^2 - 1\}/2$$

という圧力差を与える式が得られる．マノメーター内の水銀の密度を ρ' とし，圧力差による液面差を h とすると

$$P - p = \rho' g h$$

となり，S，s，ρ がわかっていれば h を測定することで流速 V を求めることができる．

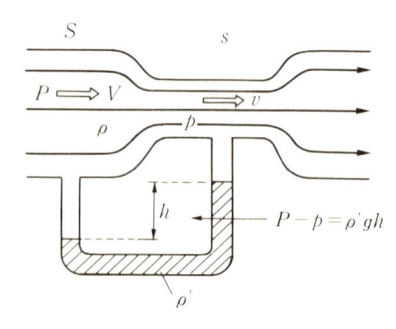

図 4.13　ヴェンチュリ管

B. ピトー管

図 4.14 のような構造をした流速を測る装置をピトー管と呼び，飛行機などが飛ぶとき空気に対する速度を知るために用いられる．流れの方向を向いた穴 A と，流れに対して横を向いた穴 B があり，この間をマノメーターなどの圧力計で接続し，2 点間の圧力差を測定して流速を知る装置である．

管の先端，A 点では，流れが淀んで流速は 0 となっていて，この点の圧力は静圧 P_A のみである．管の側壁部の B 点の穴では，静圧 P_B と動圧 $\rho V^2/2$ とが加わっている．したがって，ベルヌーイの定理から，

$$P_B + \frac{1}{2}\rho V^2 = P_A$$

が成り立つ．この式から流速 V を求めると，

$$V = \sqrt{2(P_A - P_B)/\rho}$$

となる．ピトー管の特徴は圧力差で直接流速が得られることである．

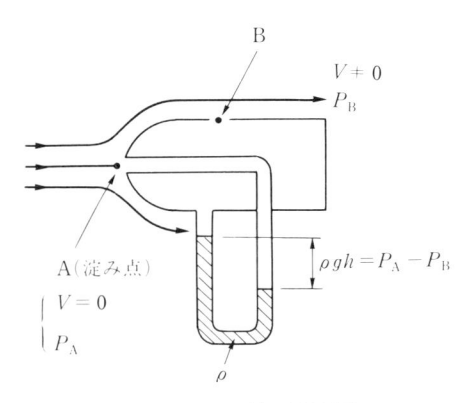

図 4.14　ピトー管の原理図

4.5.6　流れを利用する

流体が運動する（流れる）場合にも，粘性などによってエネルギーが失われないかぎり，エネルギー保存の法則が当てはまることがわかった．したがって，このような流体の様々な運動はベルヌーイの定理によって記述できることが理解できた．流体の運動で特徴的なことは，動圧と静圧との関係である．この関係を巧みに利用した色々な器具が考案・製作されている．

A. 霧吹き

霧吹きは，流速が速い所では，周辺よりは静圧が低くなることを利用している最も日常的な器具であろう．図4.15のように，ほぼ直角に交わる2本の管と，液体を溜める容器からできた簡単な器具である．図4.15のように一方の管に空気を吹き込むと，2本の管の交点の部分に高速の気流が生じる．このため，容器内の液面を押す気圧より静圧が低くなり，液体が吸い上げられる．吸い上げられた液体は管の端で高速の気流に吹き飛ばされて細かい霧状になる．

呼吸器官に障害があるときに，治療に用いる吸入器も，霧吹きと同じ原理によって動作している．高速の気流を乾燥空気を吹き込む代わりに，蒸気を利用しているのが特徴である．

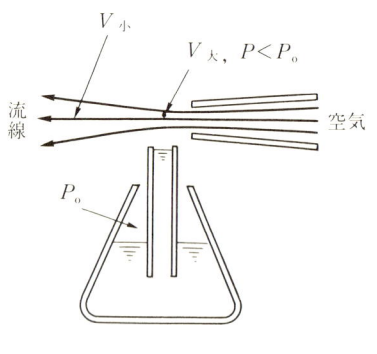

図 4.15 霧吹き

B. アスピレーター

水流ポンプとも呼ばれる簡単な構造の排気装置であり，水道の流れがあれば動力を必要としないのが特徴である．図4.16に示すように，球形の内部に先端を細めた二重管の側面に枝管が付けられている．この枝管の部分に排気したい物を接続する．先端が細められた管を水道に接続し水を流すと，球形内部の静圧が減少する．化学実験などで，ピペットなどの内部をきれいにする目的でよく利用される．この装置では，10 mmHg 程度の圧力まで排気できる．これ以上の低い圧力は，水の蒸気圧のため，得ることができない．

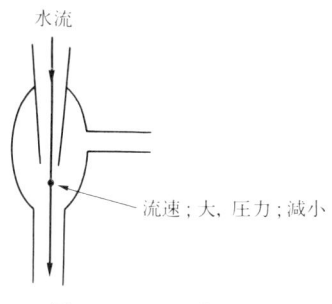

図 4.16 アスピレーター

C. 飛行機はなぜ浮く

空を鳥のように飛びたい！ というのは，昔からの人間の夢であった．ギリシャ神話にもロウでできた羽を着けた人が，余りにも太陽に近付きすぎたために，熱で羽が溶けて墜落するという話がある．ダ・ヴィンチ（Leonar'do da Vin'ci；1452〜1519）は今日でいえばグライダーやヘリコプターにあたる飛ぶ乗り物の設計図を残している．事実，飛行機は鳥の研究を行うことから出発している．なかでも，飛行機の翼は，鳥の羽の形を真似ることで成功している．

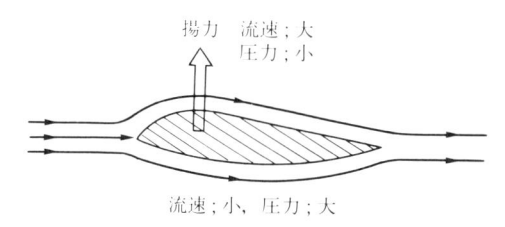

図 4.17 飛行機の翼の揚力

飛行機の翼の断面とその周りを流れる空気の流線の様子は図 4.17 のようになっている．翼の膨らみは上面の方が大きいので，翼の上面を流れる気流の流速の方が下面のそれより速い．そのため，静圧は翼の上面より下面の方が高くなり，翼を押し上げる力（揚力）が生まれる．全く同じ原理の翼を船底に取り付け，水流による揚力を利用しているのが水中翼船である．また，野球の投手が投げる変化球（カーブ，シュートなど）もボールに変則回転を与えて，ボールの周りの流速を変えることで変化させている．

4.6 血圧——最高血圧と最低血圧

　血液は心臓の拍動によって押し出され，血管の中を流れていく．血液は，もちろん，粘性を持っているので，血管中を流れるときには粘性抵抗が働いている．このことから，

① 　汗をかくなどで，血液の濃度が上がるほど，粘性抵抗は増加し流れにくくなる．血液が流れにくくなって，不足するだけ心臓は拍動を強め，血圧を上げるため，心臓への負担も増加する．これは，最高血圧を押し上げることになる．

② 　コレステロールなどで血管の一部が狭くなると，狭くなった部分での血流の速さは増加する．狭くなった部分の上流側では圧力が特に増加し，血管を押し広げ，血管の破れにつながる．

問 4.5　マンシェットの空気を徐々に抜いていくと，脈拍が再開する時点では何を測っているか．

問 4.6　人が立った状態では，足が最も血圧が高い．その理由を説明せよ．

問 4.7　人の上腕部の血圧は右手が左手よりやや低い．その理由を説明せよ．

問 4.8　風速 $5\,\mathrm{m/s}$ の風が，幅 $1\,\mathrm{m}$，高さ $2\,\mathrm{m}$ の扉に正面から吹きよせるとき，この扉に加わる力がいくらになるか計算せよ．

★最高血圧と最低血圧★

　血圧を測定するとき，マンシェットに空気を十分に送り込んだ後，バルブを緩め，徐々に空気を抜いていくと脈拍が再開する点が現れ，さらに空気を抜いていくと脈拍が消える（消失）点がある．それぞれの点で何を測定しているのだろうか．脈拍が再開する時点では，血液の運動エネルギー（動圧）がすべて静圧に変換されている．すなわち，血液の流れが持っている全圧，いい換えれば，心臓が血液を押し出す力を測定していることになる．これが，最高血圧といわれるものである．

　次に脈拍が消失する時点では，心臓から送り出される圧力は流れとなって動圧に変わり，静圧のみとなっている．したがって，最低血圧といわれるのはベルヌーイの定理の静圧を指し示している．血液の濃度が増加し，粘性が増すとか，血管の一部が狭くなったり，塞がれたりするとベルヌーイの定理から静圧，すなわち，最低血圧が上がることが理解できる．

> **★血液の流量★**
> 体内の血液量は体重の約 1/13 であり,体重が 65 kg の人では 5ℓ の血液がある.安静時には,心臓の 1 回の拍動で 70 mℓ の血液が送り出され,5ℓ の血液は 1 分間で送りだされることになる.運動を行い心拍数が高まったときには,1 回の拍動で送り出される血液の量も増加し,安静時の約 6 倍になり,5ℓ の血液が 10 秒間で送り出されるようになる.このため運動を行うと血圧は安静時より高くなる.

4.7 サイフォン

4.7.1 サイフォンの原理

水道の水は,ダムなどから家庭まで,途中の丘などを越えてどうして届くのだろうか.川のように,水面が大気にさらされた状態の水路では,水は低い所から高い所へは昇っていかない.ところが,水道管のように,全体が壁で塞がれ,大気にふれない状態になっていると,流れの途中では高い所へ上がっていくことができる.これを,**サイフォン**という.

なぜ,高い所へ上がるのだろうか.第一の理由は,流体が自由に形を変えることができる物質であるということである.第二の理由は,はじめ連続していた流体の一部が切れて,隙間ができそうになると,その部分の圧力が周辺より低下する.このため,流体が吸い上げられ,再び連続の状態に戻ることができるためである.これが,サイフォンの原理である.このことは,流体の蒸気圧

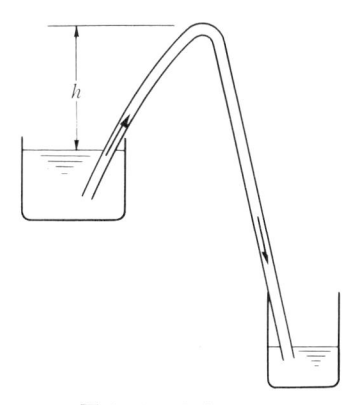

図 **4.18** サイフォン

P が $\rho g h$ と釣り合う高さ h 以上には，流体が吸い上げられないことを示している（図 4.18）．

水の場合，蒸気圧は 1 気圧であるから，$h = 10$ m 以上になると，サイフォンによって昇らないことが理解できる．もし，これ以上高い所へ水を上げる必要がある場合には，ポンプなどで加圧して押し上げなければならない．

4.7.2 サイフォンの原理の応用

人の胃の中にパイプを入れて洗浄（胃洗浄）を行うことがある．胃の内容物を取り出したり，胃の内部に薬液を送り込んだりするパイプはサイフォンの原理を応用している．

また，石油ストーブに灯油を注ぎ込むポンプはサイフォンの原理をそのまま利用している便利な道具である．さらに，野山を越えて水をパイプで送る場合にもこの原理が用いられている．

4.7.3 毛管現象：接触角－濡れる・濡れない－

新しいタオルでは水を拭きにくいが，洗濯をしたタオルでは容易に拭くことができる．傷の手当に用いるガーゼは脱脂が行われていて，水などを吸いやすい．これらの現象に関わっているのは**毛管現象**といわれている．

綺麗なガラス板に 1 滴水を落とすと図 4.19 のようになる．水銀を 1 滴置くと図 4.20 のようになる．図に示されている角を接触角という．接触角が 90 度より小さいときには「濡れる」が，90 度より大きくなると濡れない．水とガラスの場合でも，ガラス面が油などで汚れていると，接触角は大きくなり濡れにくくなる．このように接触角は固体と液体との相互の組み合わせによって決まった値を持ち，さらに，固体の表面の汚れによっても影響を受け変化する．濡れるか濡れないかは固体と液体との接触角の大小によって決定される．

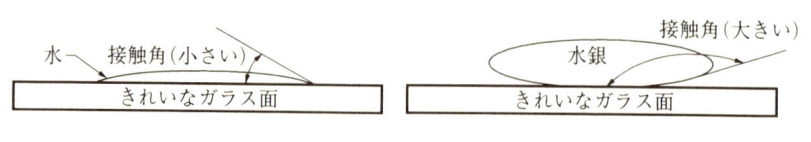

図 4.19　ガラス面上の水滴　　　図 4.20　ガラス面上の水銀

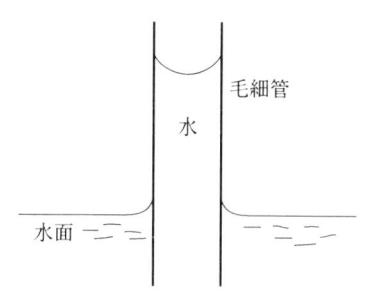

図 4.21 水中に立てられた毛細管を上る水

　細いガラス管を水の中に立てると，接触角が小さいため，重力に逆らって管内の水を上に引き上げる．接触角が大きい水銀の中に細いガラス管を立てると，管内の液面は下に押し下げられる（図 4.21）.

　タオルやガーゼは細い繊維の集合でできている．繊維と繊維の間には隙間が無数にあり，毛細管が無数に集まった状態を作っている．木綿でできた繊維と水の接触角は，化学繊維の繊維と水の接触角より小さいので，木綿のタオルの方が良く水を拭き取ることができる．木綿が油などで汚れると接触角が大きくなり，水を拭き取り難くなる．

実　験

1) 2枚のガラス板をV字型に合わせ，その一端を水の中に浸すとどのようになるか？
2) 1円硬貨を水面に静かに置くと浮く．さらに，2枚目，3枚目……を浮かべ静かにしておくと1円硬貨はどのようになるか？

5 章
振動・波動

　前章までで，固体，液体，気体の運動について基本となるいくつかの事柄について学んだ．私達の周囲を見回すならば，前章までの知識で説明でき，理解できる事柄はかなりあるであろう．そして，少し注意深く見るならば，周期的に繰り返す現象がいくつもあることに気づくであろう．

　周期的に繰り返す現象として日常よく見かけるものは，振り子，バネの振動などの振動現象や，風に鳴る木立，水面の波，音波，光，地震などの波動現象であろう．この章では，このような現象について考えてみたい．

5.1 振 り 子

　紐の先に取り付けたおもりが周期的に振れる現象とか，振り子時計の振り子は特に馴染み深い振動現象であろう．この，振り子が1回ごとに元の位置に戻ってくる時間が，振れる幅（振幅）に関係なく一定で，その時間は振り子の長さで決まる，という事柄は「振り子の等時性」として有名である．この現象はガリレイが，礼拝堂の天井から吊されたランプが振れるのを見て発見したといわれている．

　長さ L の紐の先に質量 m のおもりを吊した振り子を考える（図5.1）．空気の抵抗などがない場合，おもりはエネルギー保存則が成り立った運動である．すなわち，

$$mgL(1-\cos\theta) + \frac{mv^2}{2} = 一定, \quad v = L\frac{d\theta}{dt}$$

という関係が成り立っている。この式から、$\sin\theta = \theta$ が成り立つ小さな振れの場合に、

$$\frac{d^2\theta}{dt^2} = -\frac{g}{L}\theta$$

という方程式が得られる。この式の解は、

$$\theta = A\sin(\omega t + \alpha), \quad \omega = \sqrt{g/L}$$

（α：初期位相）

となる。したがって、振動の周期 T は、

$$T = 2\pi\sqrt{L/g}$$

となり、おもりの質量には関係しない。これが、振り子の等時性である。ちなみに、周期が1秒となる振り子の長さは約 25 cm である。

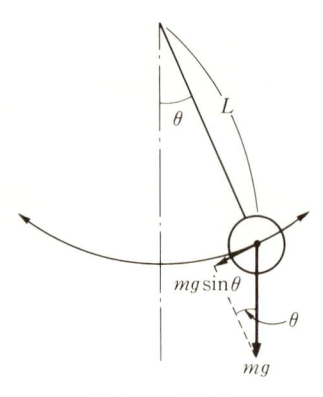

図5.1　振り子

5.2　バネの振動

バネの先に質量 m のおもりを付け、少し引っ張っておいてから手を離すと、振動するのもよく見られる現象である。バネに力 F を加えると、自然の状態の長さより l だけ伸びたとする。このとき、

$$k = F/l$$

で求められる k を**バネ定数**といい、バネの強さを表す。

さて、図5.2のように、質量 m のおもりを吊したバネがある。釣り合いの位置から、さらに長さ x だけ引き伸ばして放したときの振動について考える。重力とバネの復原力は絶えず釣り合っているので、おもりに働く力は釣り合いの位置から余分に伸びたり縮んだりした長さ x に比例する力のみとなる。さらに、注目すべきことは、この力は絶えず釣り合いの位置の方向に向いていることである。釣り合いの位置から x だけ伸び縮みしたときの力は $-kx$ なの

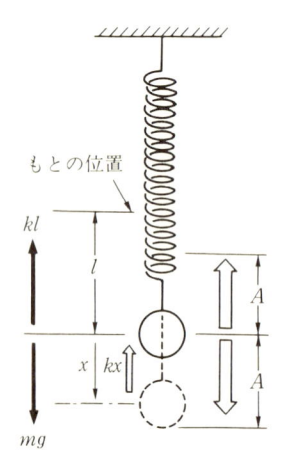

$mg = kl$ で均り合う，kx；復元力

図5.2　バネの振動

で，ニュートンの運動の第二法則から，
$$m\frac{d^2x}{dt^2} = -kx$$
という式が得られる．この形の式は，振り子の場合の式の形からもわかるように，振動（単振動）を与える．すなわち，
$$x = A\sin(\omega t + \alpha), \quad \omega = \sqrt{k/m}$$
という振動を与える．したがって，バネの振動の周期は
$$T = 2\pi\sqrt{m/k}$$
となる．この結果から，硬いバネ（強いバネ，k が大きい）とか，吊すおもりが軽いときには，振動の周期が短いことがわかる．振動の周期の逆数を**振動数** n といい，
$$n = 1/T$$
で表せる．振動の周期の単位は秒（s），振動数の単位はヘルツ（Hz）である．

5.3 日常見かける振動現象

いつも何気なく見ている様々な自然現象の中には，物体が振動することが原因となっていることが多くある．以下にいくつかの例を挙げてみよう．

① 水道の蛇口に付いている止水パッキン（コマ）が悪くなると，水を出すとき，コンコンといった音を出すことがある．これは，水流がコマの所を流れるとき，水流によって釣り合いの位置から離されたり，引き戻されたりすることによって，水圧に周期的な変化が与えられるためである．

② ギターなど弦楽器に張られている弦，ピアノの弦は釣り合いの位置から，指，ハンマーでずらすと，弦の太さ・張る強さに応じた振動をし，それが胴の部分の空間で拡大（共鳴振動）され，音として伝わる．ハーモニカ，オルガンは金属リードが空気の流れで振動し音として伝わる．

③ 窓のブラインドが風が吹き込むと鳴ることがある．これは，ハーモニカなどのリードが鳴るのと同じ理由である．木立が風でザワザワと音をたてるのは，隣同士の小枝，葉が互いに触れ合い，振動をすることによる．また，扇風機やエアコンの送風口で音がするのは，扇風機などの羽が空気振動を起こしていることによるものである．

5.4 波［波動］

　波といえば，水面の波が最も馴染み深いものではないだろうか．波とはどのような現象をいっているか考えてみよう．そこで，水面の波を少し詳しく観察してみよう．水面の最も盛り上がった部分（山）は時間と共に動いていく．水面に木の葉を浮かべてみよう．木の葉は，ただ上下に上がったり下がったりしているだけであろう．波の進む方向にいくつかの木の葉を浮かべてみると，木の葉の上下運動が少しずつ遅れているのが観察できる．このことから，波（波動）とは次のようなものであることが導かれる．

　波［波動］は，空間での振動が次々と伝わっていく現象である．

　波の一番高くなった所（振幅の最大値）を**波の山**，一番低い所を，**波の谷**という．また，山から山まで，または，谷から谷までを，**波の波長**という．波の谷から山までの高さ（波の高さ）の半分を振動の**振幅**という．いま，振幅を A，波長を λ，波の伝わる速さを v とすれば，波を表す式は，

$$y = A \sin \frac{2\pi(x-vt)}{\lambda}$$

となる．ここで，x は波が伝わる方向，y は波の振動の方向である．

　波には2つの種類がある．それは，振動の方向と，波が伝わっていく方向の関係で分けられている．

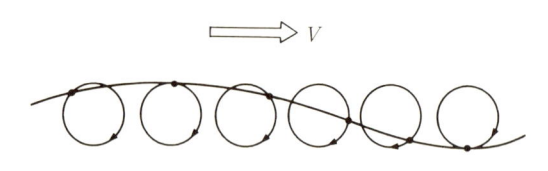

図5.3　よく見る水面の波

5.5 波の種類

　日常生活で馴染み深い波は，水面の波（図5.3）と，音の波であるが，波は，振動の方向と，伝わる方向によって，「横波」と「縦波」に区別される．2種類の波を例とともに記す（図5.4）．

5.5 波の種類

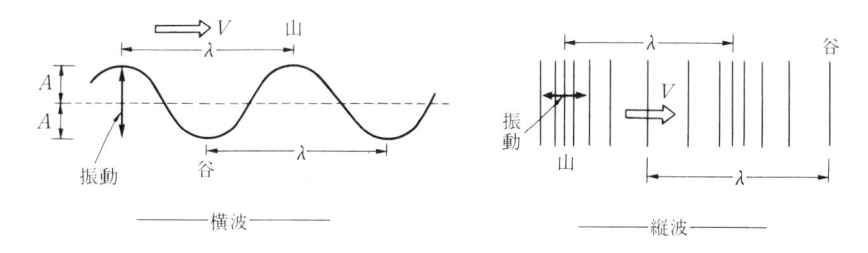

図 5.4 横波と縦波

【横波】 振動の方向と，伝わる方向が互いに直角になっている波．
横波の例，速さ v
1. 光　　　：$v = 3 \times 10^8$ m/s
2. 電　波　：$v = 3 \times 10^8$ m/s
3. ガンマ線：$v = 3 \times 10^8$ m/s
4. X　　線：$v = 3 \times 10^8$ m/s
5. 地震のS波：$v = 3.5 \sim 4$ km/s

（注）　1〜4までの波を電磁波という．

【縦波】 振動の方向と，伝わる方向が互いに平行になっている波．
縦波の例，速さ v
1. 地震のP波：$v = 7 \sim 8$ km/s
　　P波は地震の初期微動として伝わる波でS波の約2倍の速さで伝わる．S波は本震で大きな振幅となる．P波とS波の伝わる速さの違いを利用して震源を知る手段としている．
2. 音（音波）：
　　空気中の音速　　331.45 m/s（　0 ℃）
　　　　　　　　　　340 m/s（ 15 ℃）
　　　　　　　　　　380 m/s（100 ℃）
　　水　の　中　　　1433 m/s（ 15 ℃）
　　ヘリウムガス　　970 m/s（　0 ℃）
　　　　鉄　　　　　4900 m/s
　　杉　　板　　　　〜4100 m/s
　　ゴ　　ム　　　　40〜70 m/s

★遠い雷と近い雷★

　稲妻が光ると同時に雷鳴がすれば雷は近く，稲妻が光ってしばらくしてゴロゴロと雷鳴がすれば雷は遠い，ということはよく知られている．これは，光速は1秒間に30万km（地球の赤道の周りを7.5周する）の速度であり，音速は〜340m/sであり，大きな速度差があることを応用した判断の仕方である．したがって，稲妻が光って3秒ほどでゴロゴロと雷鳴が聞こえれば，雷は約1km離れた位置にあることになる．これはP波とS波を用いた震央の位置の推定法と同じである．

　なお，遠くの雷鳴がゴロゴロという音に聞こえるのは，稲妻で発生する音は本来一瞬の"バシッ"という音であるが，この音が周囲の山などで反響（こだま）し，時間差をもって次々と聞こえてくるためである．低い音域が強調されるのは，振動数の高い音の方が伝わる間により多くの減衰を受けるためと考えられる．

5.6　波の性質

　晴れた日には聞こえない遠くの音が，曇った日にはよく聞こえるとか，防波堤の切れ間から入った海の波が，防波堤の陰に回り込むとかいった，少し気を付ければ，波に関わりのある事柄に気づくであろう．ここでは，波の性質について考えてみよう．

　波の基本的な性質としては，「直進」，「反射」，「屈折」，「回折」，「干渉」の5つが考えられる．

A. 直　　進

　波は，それを伝える物質が一様で，その途中に障害物がなければ，まっすぐに進む性質を持っている．これを波の直進性という．この直進性は，波長が短い波ほどはっきりとしている．この様子は光では特によくわかる．

B. 反　　射

　波は，途中の障害物に当たると，そこで進む方向が折れ曲がる．その曲がり方は，入ってきた角（入射角）と出て行く角（反射角）が等しくなっている（図5.5）．このような波の性質を**反射**という．

光の反射は，鏡などによって理解することができるであろう．一方，音の反射は，山で起こる「こだま」が，音が向いの山肌で反射されて起こっていることでわかるであろう．また，雷鳴がゴロゴロという音に聞こえるのも周辺の山や雲で音が反射され，重なり合って聞こえるためである．

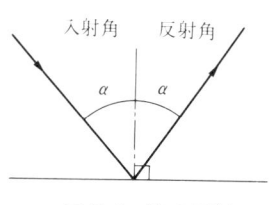

図 5.5　波の反射

　また，私達の耳たぶは音をより沢山鼓膜に導くように備わっている．そのため，小さな音を，はっきりと聞き取りたいときに，耳の後ろに手をあてるのは，その効果を高める目的である．

　これらの波（ここでは超音波）の性質（反射）がどのように医療に応用されているかを考えてみよう．

　耳で聞こえるより高い周波数の音（超音波）を放射し，それを体内に入れると，臓器などで反射される．超音波を放射してから，臓器で反射し，検出器に届くまでの時間と反射された音波の強さをブラウン管に映し出すと，体内の様子を見ることができる．このような装置を**超音波診断装置（エコー）**という．

★**超音波診断装置（エコー）**★

　超音波を皮膚の表面から体内に向けて送り込むと，体内の内蔵などの表面で反射され受信機に戻ってくる．この超音波が発射されてから反射し受信機に戻ってくるまでの時間によって皮膚表面からの深さが求められる．超音波を送り込む場所を掃引し，反射した超音波の信号をディスプレイ上に画像として表示すれば体内の臓器の形を見ることができるようになる．漁船などに搭載されている魚群探知機も原理は同じである．

★**超音波による骨粗鬆症の診断**★

　骨粗鬆症はカルシウム不足などによって起こる．骨はカルシウムが主成分である．骨を維持するには1日当たり約 600 mg のカルシウムとビタミンDおよび適度の運動によるストレスが必要である．

　骨粗鬆症の診断には，レントゲン写真による方法と，超音波を用いる方法がある．超音波を用いる方法は，超音波の伝わる速さによって診断を行っている．すなわち，固い骨ほど伝わる速さが速いので，例えば，足首から超音波を送り込

み，膝間接部で反射して戻ってくるまでの時間を測ることで，骨粗鬆症の度合いが診断できる．

C. 屈 折

波を伝える物質の密度が変わるとか，物質が変わるとかすると，波の進む方向が変わる．これを，波の屈折という．屈折が起こる理由は，物質の密度が変わるとか，物質が変わると波が進む速さが変わるためである．一つの例として，光の屈折を図5.6に示す．物質1から2へ入射角 θ_1 で入った光は少し傾いて屈折角 θ_2 で進んでいく．これは，進行中の自動車の車輪の片方にブレーキがかかったとき，進行方向が曲がるのと似ている．この入射角と屈折角との関係は，

$$\frac{\sin\theta_1}{\sin\theta_2} = n$$

となる．n は物質1に対する物質2の屈折率という．

水の波でも屈折は起こる．例えば，急に浅くなっている所へ斜めに入ってくる波は，浅い所では速さが遅くなるため，進行方向が曲がる．

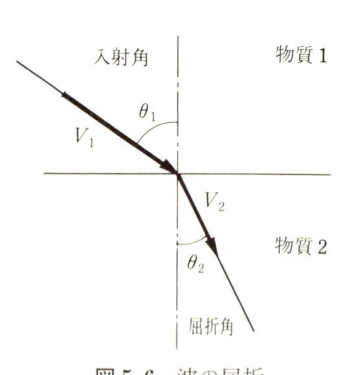

図5.6 波の屈折

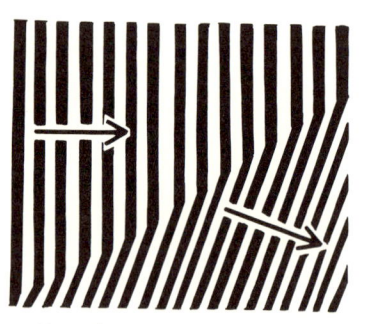

ガラス板を入れてあるために，右下の三角形の部分は浅くなっている．波は図の矢印の方向に進んでいる．

図5.7

波動の屈折現象は光について日常ふれる機会が多いのではないだろうか．川底を斜めから見ると実際よりも浅く見えるし，水の入った容器に棒を入れると

曲がって見える現象などはすべて屈折によって説明できる．

カメラのレンズも光がガラスによって屈折することを利用して，物体の像を作っている．また，道路などでよく見かける逃げ水は道路の空気が熱せられて，光に対する空気の屈折率が変わるためである．その他，陽炎，蜃気楼なども空気の屈折率が変化することが原因で見えるようになる．

D. 回　　折

波は，点状の源から送り出されるときには，円形（球形）に伝わっていく．これを**球面波**という．もし，波の発生源が平面状であれば，波は平面のままで伝わっていく．これを**平面波**という．いずれにしても，波の発生源の一点から出た波は直進する．したがって，途中に障害物があれば，その影となっている所には波は全くやってこないはずである．ところが，現実には，影の部分に波

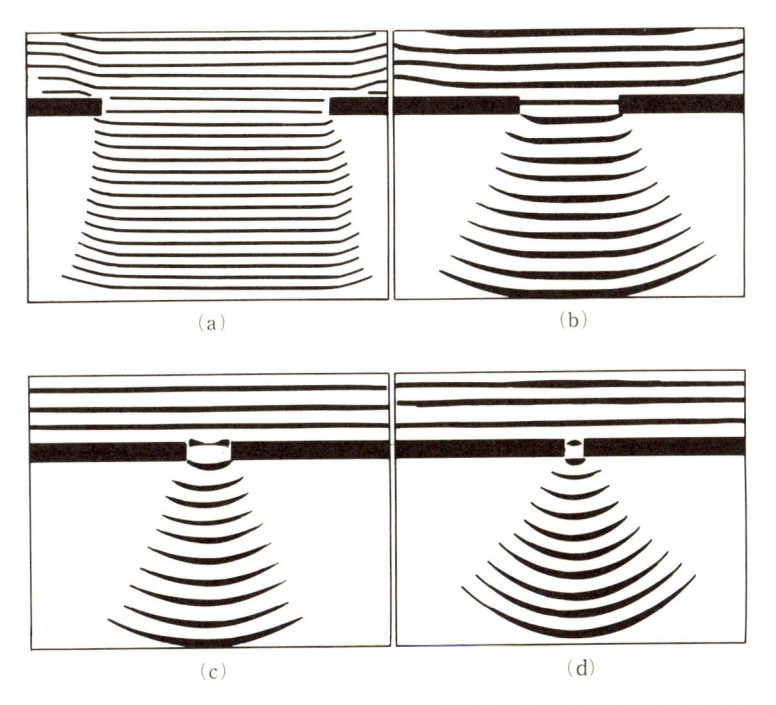

(a) から (c) と隙間の幅が狭くなっている．防波堤の中にも波が入り込んでくるのはこの回折現象のためである．

図 5.8　波の回折

は回り込んでくる．これを，**回折現象**という（図5.8）．

E. 干　渉

2つの波が出会う所では，波が消えたり，波の山の高さがより高くなったりする．このように，波が互いに，強め合ったり，弱め合ったりする現象を**干渉現象**という．

図5.9に示すように，山と山が出会う所では，山はより高くなり，谷と谷が出会う所では，谷はより深くなる．ところが，山と谷が出会うと所では，弱め合って，波は消える．これが，波の干渉の基本である．

干渉が原因となって起こる日常現象としては，ガラスのヒビ割れた所に光があたると色付いて見えるとか，シャボン玉を膨らませると，次々に色が変わっていくとか，水面にこぼれた油による油膜がきれいに着色するなど，一度は見たことがあるであろう．これらは，膜の表で反射した光と裏側で反射した光とが互いに干渉し特定の波長（色）の光のみが強め合うためである．

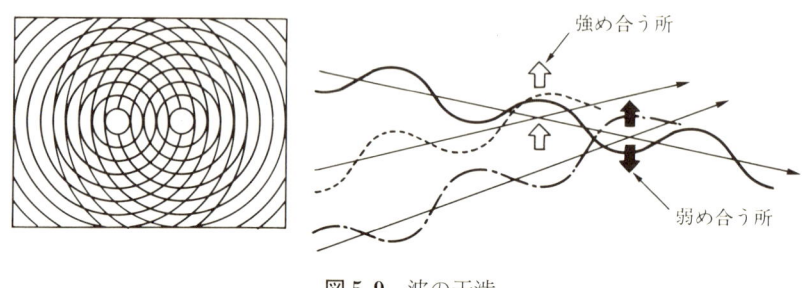

図5.9　波の干渉

5.7　電　磁　波

光は電磁波といわれるものの一部分である．電磁波を波長で分類すると図5.10に示したようになる．医療に用いるX線もγ線も，ラジオやテレビ放送に用いる電波も波長が異なるだけである．光の中で，私達の目でとらえることができる光は可視光線といわれるごく狭い領域である．太陽はあらゆる波長の光を放射しているが，表面温度約6000 Kの太陽では，放射される電磁波の中で可視光線の領域で最もエネルギーが大きいので，人の永い進化の過程で，目はこの波長領域に最も感じやすくなったと考えられる．

5.7 電磁波

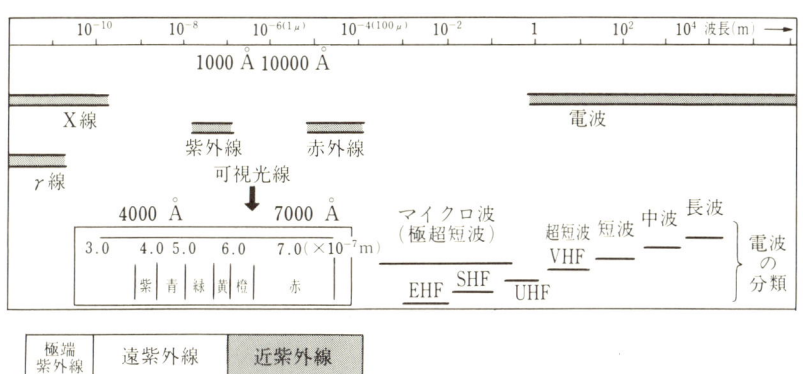

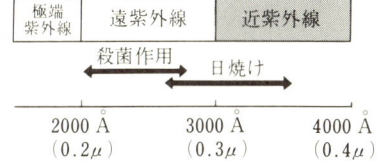

図 5.10 電磁波の波長による区分 [$1Å = 10^{-10}$m, $1\mu = 10^{-6}$m]

A. スペクトル

太陽の光を狭い隙間（スリット）を通しプリズムを通過させるときれいな7色に分かれ，プリズムの底面に近い方が青，先端の方が赤となる．これは，光の波長によって屈折する角度が違うためであり，波長ごとに電磁波のエネルギーを分けたものをスペクトルという（図 5.11）．

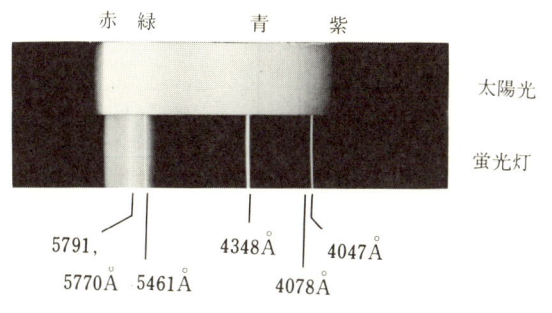

図 5.11 太陽光と昼光色蛍光灯のスペクトル
　　　　　線スペクトルは蛍光灯内部の水銀による．

空気中の水滴に太陽光が当たると，プリズムと同じ役割をする．これが，雨

上がりに太陽を背にすると，虹が見える原因である．虹は内側の環が紫，外側の環が赤となっているが，時には，その外にもう一本，色の並び方が逆になった虹が見えることがある．

B. 黒体放（輻）射

物体を熱すると電磁波を放出する．暖房用のスチームは100℃以下であるが，目に見えない電磁波（遠赤外線）を出している．電気ヒーターは800℃程度であるが赤い光を出すようになる．白熱電球のフィラメントは2500℃程度であるが白色に近い黄色がかった光を出している．このように，物体の温度が高くなるに従って，赤から青い色へと色が変わっていく．

C. X 線

高速の電子を金属に当てると，電子が急制動を受けるため，制動放射によってX線を放射する．これがX線管である．電子を高速にするために，診療用では30～40 kV，または，80～90 kV，深部治療用で150～200 kVである．X線は金属，カルシウムなどを通過しにくいので，X線を身体に当てて写真を撮ると骨とか臓器が影になって写る．これがレントゲン写真である．

近年の高度医療にかかすことのできないCT（Computer Tomography）もX線を利用しているものである．

レントゲン（Wilhelm Konrad Roentogen；1845～1923）

スイスのチューリッヒ大学でクント（クントの実験；管の中に細かい粉末を入れ，音波で振動させ，粉末の模様から音速を測る実験をした）の影響で物理学の研究を始め，後にクントの助手となった．

バパリアのウルツブルク大学の物理学部長時代に陰極線の研究をしていて1895年X線を発見した．すなわち，レナルトとクルックスの実験の追試を行っているときに，陰極線管を紙に包んでも白金シアン化バリウムを塗布した蛍光紙が光ることを発見した．この放射線は肉眼では見えないが，厚い紙や薄い金属板も透過することがわかった．レントゲンは，この放射線の正体が不明なのでX線と呼んだ．1896年に新発見について講演を行い，このとき，手のX線写真が撮影され，骨が鮮やかに写し出された．彼は，この研究によって1901年にノーベル物理学賞の最初の受賞者となった．そして彼は，X線に関して一切特許をとらなかった．

5.7 電磁波

X線は医学において診断の強力な武器となり，急速に世界中に広まっていった．しかし，発見当初は，過剰な放射線の投射により白血病になるということがわからず，多くの悲劇も生まれた．

★X線を用いた CT (Computer Tomography)★
1971年に用いられるようになり，欧米では CAT Scanner と呼ばれている．X線を用いるものが最も一般的である．基本原理は，X線などの細いビームを診断する断面に沿って掃引し，頭部などの各部位の透過率（減衰率）をもとにコンピュータ処理を行い内部の状態の断層画像を得る．X線の細いビームをヘリカル状（スパイラル）に出しながら撮像すると3次元的な画像を得ることができる（ヘリカルCT）．また，造影剤を用いると血管の画像を得ることができる（3D CT アンギオン）．

D．レーザー光

ヘリウム，ネオン，アルゴン，キセノンのようなガスを両端に鏡を平行に置いた放電管に入れ，高い電圧を加え放電させると，ガスの種類で決まる特定の波長の光を波の位相が揃った状態で放出する．この光は平行性が良いので遠くまで届き，波長の純度も非常に良いのが特徴である．普通の光と違って，レンズで集めると，非常に狭い所にエネルギーを集中できるので，レーザーメスに利用され，眼底の治療などに用いられる．また，光の波長の純度が良いので，癌などの病変部のみを狙い撃ちにした治療に用いられるようになっている．

E．光の全反射

水を入れた容器を用意し，図5.12のように，水の中から光を水面に向けて空気中に出す実験をする．入射角をしだいに大きくしていき，48.5°以上になると光は水面で反射して水中に戻るようになる．これを**全反射**という．また，ちょうど全反射を起こす入射角を**臨界角**と呼ぶ．臨界角は物質によって定まった値をとる．非常に細いガラスの糸（ガラス繊維）の中を光

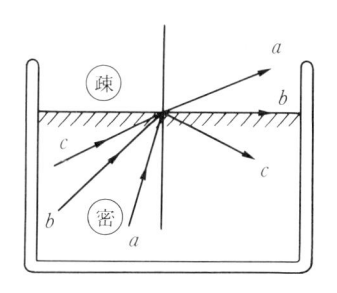

図 5.12 全反射

を通すと，ガラスの表面で全反射が起こるので，途中の道筋（ガラス繊維）が曲がっていても光を導くことができる．沢山のガラス繊維を束ね，レンズなどを組み合わせると顕微鏡が作れる．これがファイバースコープである．

5.8 レンズによる像

ガラスなどを球面状に磨いて中央が周辺より厚く作られているものを凸レンズ，中央が周辺より薄く作られているものを凹レンズという．レンズは光がガラスなどに出入りするときの屈折を利用している．したがって，屈折率が大きな物質を用いるほど，かつ，中央と周辺との厚さの差が大きいほど，レンズの焦点距離は短くなる．

レンズから物体までの距離 a と像までの距離 b と，レンズの焦点距離 f との間には次の関係があり，レンズの公式という．

$$\frac{1}{a}+\frac{1}{b}=\frac{1}{f} \quad [凸レンズ：f>0 ，凹レンズ：f<0]$$

ここで，a はレンズから測った物体までの距離，b はレンズから物体とは反対側に向いて測った像までの距離を表す．もし，$b>0$ ならば実像，$b<0$ ならば虚像となる．実像時には，その位置にスリガラスを置けば像が見えるが，虚像では，眼には像があるように見えるが，その位置にスリガラスを置いても像は写らない．

虫眼鏡，顕微鏡，ガリレイ式望遠鏡で人の肉眼で見えている像は虚像であり，ケプラー式望遠鏡，カメラのフィルム上の像などは実像である．

★ F ナンバー ★

レンズの焦点距離 f をレンズの直径 d で割った値，$F=f/d$ を F ナンバーといい，明るさの目安とする．ちなみに，人の眼の F ナンバーはほぼ $F=1$ であり非常に明るい．

5.9 人 の 眼

カメラ（スチールカメラ，ビデオカメラ）は私達の日常の生活に非常に密着した光学機器である．光学カメラは基本的には凸レンズとフィルムとシャッタ

5.9 人の眼

一，絞りの組み合わせで構成されている．凸レンズは物体から出た光を屈折させ，像をフィルム上に作る．レンズとフィルムの間の距離を調節する（ピントを合わせる）ことで像を鮮明に映すことができる．

人の眼もカメラとほぼ同様の構造を持っている．すなわち，凸レンズに相当するものが水晶体，フィルムに相当するものが網膜，絞りに相当するものが光彩，シャッターに相当するものが瞼と考えられる．カメラと唯一異なる構造としてはピント調節機構である．すなわち，水晶体の働きを司る毛様体筋の働きで，水晶体の厚さを変えて，焦点距離を直接操作している．

眼で遠方を見ているときは，毛様体筋は弛緩していて，水晶体の厚みは薄くなっている．近くを見るときには，毛様体筋は収縮し水晶体の厚みは厚くなっている．健康な眼では，約 20 cm より近い所は調節ができないので鮮明には見ることができない．また，本などを読むときには 25～30 cm 程度の明視の距離を保つようにすべきである．したがって，毛様体筋が衰えて十分に収縮し，水晶体を厚くできなくなると近くを見るのに困難を感じるようになる．これが「老眼」である．

「近視」とか「遠視」といわれるのはどのような状態になっているのだろうか．これらは，基本的には毛様体筋による水晶体の調節機能は正常に働いてい

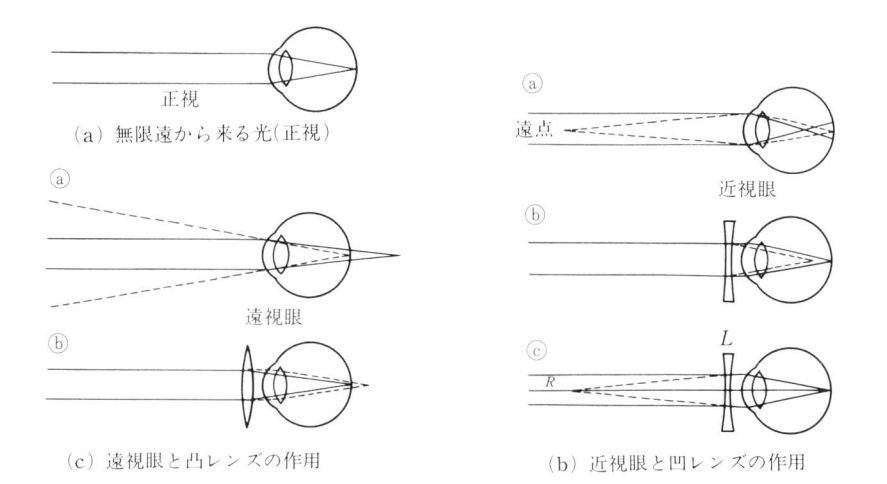

図 5.13 眼とレンズの作用

る．したがって，水晶体から網膜までの距離に問題があると考えられる（これを軸性近視という）．

★近視・遠視・乱視★
　近視は，水晶体から網膜までの距離が正常な場合と比べ長くなっているため，近くの物は鮮明に像を結ぶが，遠くの物は鮮明な像を結ぶことができないのである．このため，凹レンズの眼鏡によって矯正する．
　遠視は，水晶体から網膜までの距離が正常な場合と比べ短くなっているため，遠くの物は鮮明に像を結ぶが，近くの物は鮮明な像を結ぶことができないのである．このため，凸レンズの眼鏡によって矯正する．
　乱視は，水晶体の膨らみが方向によって異なっているため，方向によって水晶体の焦点距離が違ってくるのである．このため，円柱状のレンズ（円柱レンズ）の眼鏡によって矯正する．

6 章

熱　　　学

　私達の住んでいる地球上では，様々な熱（熱学，熱力学）に係わった自然現象が起こっている．しかし，力学的な現象のように，直接目で見ることができず，間接的に体で感じるだけなので理解しにくいように思える．このとらえにくい熱に関する現象の中で，気温とか冷暖房，水の沸騰などという現象は馴染み深いものである．また，毎日といってよいくらい吹いている風，空に浮かぶ雲，それから降る雨など，天候の変化をもたらす原因に熱が係わっている現象が多い．

　熱学という物理学の一部門では，温度とか熱とは，どのような概念であるのか，物体の温度とは，物質の性質は温度の変化とどのように関係しているのか，仕事と熱の関係はどのようになっているのかなどの事柄を調べる学問である．熱学は，18 世紀には熱素説という概念が支配的で，熱を物質と同じレベルで扱っていた．19 世紀になって，ブラウン（K. F. Braun；1850～1918），ペラン（J. B. Perrin；1870～1942），ボルツマン（L. D. Boltzmann；1844～1906）らによって今日のような概念に辿りついた．

　この章では，温度の概念と測定から始めて，温度の変化によって起こる様々な現象の説明，熱の利用の仕方などについて述べる．

6.1 温　　　度

　熱学で出てくる，温度という言葉は，私達にとって最も身近な言葉であり，概念ではないだろうか．「今日は風邪気味で少し熱があるようだ」，というの

は，普段より体温が高いということを意味している．その体温を測るには何を使うかといえば，手近に体温計があれば，それで計るだろう．しかし，手元にそれがない場合は，健康な人の額に手を当てたときと，風邪気味な人の額に手を当てたときとを，手のひらで感じる暖かさの具合で比較するとかするであろう．

もし，手のひらで感じる2人の額の暖かさが同じであれば，2人の体温は同じであるというであろう．この話を少し進めて考えてみよう．

いま，2つの物体があって，暖かさに違いがあるとする．この物体を接触させてしばらく放置しておくと，2つの物体は同じ暖かさになる．すなわち，2つの物体に手をふれればどちらも同じ暖かさであると感じるであろう．この場合，手が温度計の役割をしている．この現象を熱学では次のように考える．

温度が高い物体から温度が低い物体の方へ熱（熱量）が移動し，物体の温度が等しくなれば，熱量の移動も止まる．この状態を**熱平衡の状態**という．この考えを推し進めると，熱学の基礎となる次の法則が導かれる．

【**熱力学の第0法則**】

物体Aと物体Bが熱平衡の状態にあり，物体Aと物体Cが熱平衡の状態にあれば，物体Bと物体Cもやはり熱平衡の状態になっていて，同じ温度になっている．

このことから，物体Bと物体Cとが同じ温度かどうか，すなわち，熱平衡の状態かどうか調べるために，直接物体Bと物体Cを接触することなしに，間接的に物体Aを使用することで調べることができる．物体Aが，先に述べた例の手のひらに相当している．このような役割をする物体を温度計と呼ぶ．

★**耳温計**（耳式体温計）★

耳に装着して体温を測る体温計で鼓膜の温度を測っている．測定原理は，閉じられた空間の温度を測るのではなく，鼓膜に直接接触させるのでもなく，体温をよく示す鼓膜からの赤外線放射を鋭敏な赤外線センサーによって測っている．赤外線センサーは標準機器であらかじめ校正してある．

6.2 熱と温度

　物体の運動のところでふれたように，摩擦や抵抗がない場合，運動エネルギーと位置エネルギーの和（力学エネルギー）が一定であった．もし，摩擦や抵抗があれば，力学エネルギーは失われる一方である．では，失われたエネルギーは何処へいったのであろうか．

　木を擦り合わせて火を起こしたり，針金を幾度も折曲げていると熱くなってくることとか，自転車の空気入れを押していると熱くなってくることを経験したことがあるだろう．

　これらの例で想像できるように，力学的エネルギーとか仕事が熱に変わっている．したがって，「熱もエネルギーの一形態」であることが理解できるであろう．さらに，温度とは「熱のエネルギーを測る物差し」であることも理解できるであろう．

　少しへこんだピンポン球を湯の中に入れて，もとのように膨らませた経験がないだろうか．この方法でなぜピンポン球が膨らむか考えてみよう．

　物質は温度が上昇すると，その体積が増加する性質がある．空気も温度が上昇すると体積が増加し，その圧力が高くなる．この圧力で，壁を押すので，ピンポン球のへこみが直る．このような状況は，気体を構成している分子の運動が温度が高くなるほど活発になって（分子の運動エネルギーが増加して）壁を押す力が大きくなったと考えれば，理解しやすい．

　すべての物質は原子や分子から成り立っている．1気圧，0℃で1cm^{3}中に，気体ならば10^{19}個，固体・液体ならば10^{24}個程度の原子・分子が存在している．気体と液体では原子や分子は不規則運動をしていて，その運動エネルギーは温度に比例している．この不規則な運動を**熱運動**と呼び，液体については，ブラウンによって，水面に浮いた花粉が無秩序な運動をするのを顕微鏡で見て発見された．これによって，熱運動という概念が確立されるきっかけとなった．固体の場合，原子は整然とした配置をしているが，その原子はその釣り合いの位置の周りで振動を行っていて，振動のエネルギーが温度に比例していると考えられる．

　この熱運動は，そのエネルギーが温度に比例していることを考慮すれば，温

度を下げていけば，ついに，そのエネルギーが0となる（熱運動が停止する）温度に到達するであろう．この温度を「**絶対0度**」といい，すべての物質のあらゆる運動が停止した静寂の世界である．

(**注**) 絶対0度を原点として測る温度目盛りを絶対温度といい，-273.15 ℃ が絶対0度（0 K）に相当する（詳細は後述）．

6.3 温度計

物質の熱エネルギーを測定する道具が温度計である．物理学的には，温度は熱力学の法則に基づいて測定されるが，日常の測定には適当でない．そこで，物質の持っている温度変化に対する性質を利用した温度計が工夫されている．なかでも，温度が上昇すると，その体積が膨張することを利用した温度計が最も一般的である．

物質の中の原子や分子は，温度が上昇するにつれて運動が活発になり，それぞれの原子や分子が互いに及ぼし合う力も増加する．この物質内部の力が気体や液体の体積を増加させる．このように，温度の上昇によって体積が増加する現象を**熱膨張**といい，その体積の増加は温度にほぼ比例している．熱膨張させる物質として，水銀やアルコールを用いた温度計が最も一般的である．

6.3.1 水銀温度計

水銀温度計は水銀の体膨張を利用して温度を測定するものである．構造は，水銀溜の部分と，それに続く毛細管の部分からできていて，毛細管部の水銀柱の長さで温度を測る．水銀は-38.9 ℃ で固体になるのであまり低温度の測定には向かない．さらに，356.66 ℃ で沸騰し気体になるので，あまり高い温度の測定にも向かない．したがって，この温度計の使用可能な温度範囲は，0～200 ℃ くらいである．また，水銀の温度が，測定を行う物質と熱平衡になるまで時間がかかるので温度変化が激しいものの測定には向かない．主として体温計などに用いられている．

6.3.2 アルコール温度計

構造は水銀温度計と同一であるが,水銀の代わりに,アルコールが封入されている.エチルアルコールの場合,-114.5 ℃で固体になり,78.32 ℃で沸騰するので,アルコール温度計が使用できる温度範囲は-100〜50 ℃くらいであり,主に寒暖計などに用いられている.

6.3.3 その他の温度計

上で述べた温度計は地球上の温度環境で使用するには非常に都合が良い.この範囲の温度を測定できる温度計としては,サーミスタ温度計がある.測定できる範囲は-50〜150 ℃であり,温度を数値で表示するディジタル式の多くはサーミスタが使用されている.さらに高い温度を測定する場合には,全く別の方式を使用した温度計を用いる.その一つが,熱電対である.これは2種類の金属線を1点で接続し,他端に電圧計を接続したものであり,接続点を温度測定したい所に置くと,その温度によって発生する電圧が変化するので,この電圧によって温度がわかる.この温度計で測定できる温度は,白金と白金ロジウム合金を用いたもので,2000 ℃程度までである.

さらに,鉄などが溶けているような高い温度を測定する場合には,温度によって物質の色(色温度)が変化する(ニクロム線ヒーターを観察すると色の変化がわかる)ことを用いて温度を測定する.このような温度計を**光高温計**という.

物体はその温度によって放出する光の波長が変わる(5.7節および9.4節を参照せよ).したがって,物体を赤外線テレビカメラで撮影し,その色の情報を処理すれば,物体の温度分布を描くことができる.温度が低くなると物体から放射される光は赤外線の領域となるので撮像素子も赤外線によく感じるようにする必要がある.このような目的で作られたカメラを赤外線カメラといい,これによって得られた像を**サーモグラフィー**とか**サーモグラム**(温度分布図)という.

人体は約36.5 ℃の体温である.この温度で放射される光の波長は最も強い所で9 μm(9000Å)となる.身体に病変部があればその温度が周囲とは変わる(一般に上がる)ので赤外線の波長も変わる.したがって,赤外線カメラで

身体を撮影すれば，0.1℃の分解能で体温分布が測定できることから，病変部を探し出すことができる．図6.1はリウマチ性関節炎に伴って，関節の炎症による温度上昇を探し出す様子，足の末梢血循環に伴う温度変化の様子を示すサーモグラムである．

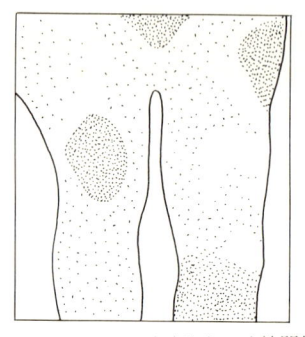

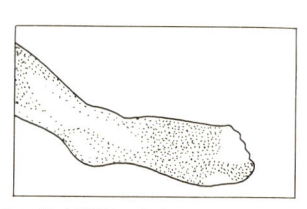

(a) リウマチ性関節炎に伴う関節の炎症

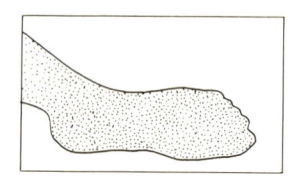

(b) 治療の後に足の末梢血循環が増加しているのがわかる

図 6.1 サーモグラム

6.4 物質の状態変化

人間はもちろんのこと，地球上のすべての動物・植物にとって欠くことのできない「水」は，地球の気象環境のもとで，固体・液体・気体の3つの状態に変化できるということが重要な役割を果たしている．また，地球上に水が相当量存在していることが，地球環境が穏やかである原因となっていることも注目すべきである．

すべての物質は，温度の変化によって，水が氷（固体），水のまま（液体），水蒸気（気体）になるように，固体・液体・気体の3つの状態に変化する．

物質の状態が温度によって変化することは，物質を構成する原子・分子の熱

運動の激しさと原子・分子を結びつけている力とのバランスで決まる．例えば，熱運動が原子を定まった位置にとどめておく力を越えると，原子は自由に動くことができるようになり，液体の状態に変わる．そして，物質が温度・圧力の影響によってどのように状態を変えるかを表す図を**状態図**と呼ぶ．

6.4.1 状　態　図

　温度を横軸，圧力を縦軸として，物質が固体・液体・気体の状態で存在できる領域を表す図が状態図（図 6.2）である．

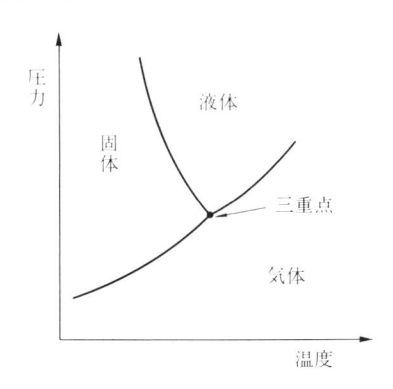

図 6.2　物質の状態図

　図 6.2 中，実線は，それぞれの状態との境界を表している．互いの状態間を移動する仕方にそれぞれ呼び名が付けられていて，次のようである．
① 昇　華：固体から気体へ直接変わること．一般に，固体は液体を経て気体に変わるが，圧力が低く，温度も低い時に起こる．日常よく見かける物質では，ドライアイス，樟脳，ナフタリンがある．
② 融　解：固体から液体になること．液化ともいう．氷が溶けて水になるとか，鉄を熱するとドロドロに溶けるなどがこれに相当し，最も一般的な現象である．
③ 凝　固：液体から固体に変わること．融解の逆の過程である．水が凍って氷になるのが最もポピュラーである．
④ 蒸　発：液体から気体に変わること．気化ともいう．
⑤ 凝　縮：気体から液体にかわること．蒸発の逆の過程である．

⑥ 三重点：固体，液体，気体の3つの状態が共存する点である．物質によって固有の値をとる．
⑦ 沸　点：液体の表面から気体となって分子が出ていく．これが気化であるが，気化は無制限に起こるのではなく，その蒸気の圧力がある値になると蒸発は止まる．この蒸発が止まる圧力を飽和蒸気圧といい，液体の温度によって決まる．
　　　　　液体の温度を上げていき，飽和蒸気圧が周囲の大気圧と等しくなると液体の内部からも気化をはじめる．この飽和蒸気圧と大気圧が等しくなる温度を沸点という．

表6.1に大気圧が1気圧のときの，融点（固体が溶け始める温度），沸点などを示す．

表6.1 大気圧が1気圧のときの融点，沸点

物 質 名	融 点 (°C)	沸 点 (°C)	融解熱 (cal/g)	気化熱 (cal/g)
水	0	100	79.7	539.8
エチルアルコール	−114.5	78.32	26.1	200
メチルアルコール	−97.78	64.35	23.7	263
酸　　素	−218.4	−182.96	3.3	51
窒　　素	−209.8	−195.8	6.1	48.8
鉄	1535	2750	65	──
白　　金	1772	3827	24.1	──
水　　銀	−38.9	356.7	2.7	70.6

6.5 沸　　騰

　液体から気体になる現象の中でも，沸騰ほど馴染み深い現象はないであろう．沸騰は，液体の温度が上昇していくにつれて，蒸発して気体になる量も増加し，ついには蒸気の圧力が液体を取り囲む大気の圧力に等しくなる．このときの温度が沸点であり，物質固有の値を持っている．
　液体を取り囲む大気の圧力が変われば，当然沸点も変わってくる．したがって，富士山のような高い山で，ご飯を普通の釜で炊いてもうまくいかない（気圧との関係で沸点が下がるため）ので，圧力釜のように圧力を上げて沸点を高

める工夫が必要になる．

　水が沸騰するとき，泡が内部から上がってくるのを見たことがあると思う．このように，沸点の状態になると，蒸気圧が大気圧に等しくなるので，液体内部で直接気体に変化できるからである．また，一般に沸点に達しても，沸騰が起こらず，少し高い温度になってはじめて沸騰を起こす．このような状態を過熱という．特に，過熱は容器が綺麗で水以外の物が何も入っていないときに起こりやすい．コーヒーサイフォンの鎖とか，化学実験で液を熱するときに入れる，小さな穴のあいた素焼のかけらでできた沸石で気泡を小さくして突沸を防ぐことがある．

6.6　潜　　熱

　「紙で作った容器で湯が沸かせるか？」という質問に対する答えは，Yesだろうか，Noだろうか．また，鍋やヤカンで湯を沸かしていて，ウッカリと空炊きをして穴を開けた経験はないだろうか．なぜ，空炊きをすると穴が開くのだろうか．

　炎の温度は，プロパンガスや都市ガスなどであれば，1000度を越えている．ニクロム線の電気ヒーターでも800度くらいである．これらは，アルミニウムを溶かすには十分な温度である．したがって，これらの炎などの上に水が入っていない鍋などを置くと，溶けるのは当然である．ではなぜ水が入っていると溶けないのだろうか．

　水が沸騰しているとき，湯の温度はせいぜい100℃であり，湯がなくなるまでこの温度で一定のままである．水が液体から気体に変わるときには余分のエネルギーが必要である．このエネルギーが**気化熱**といわれるものである．すなわち，1ℓの水の温度を1℃上昇させるには1 kcalの熱量が必要である．ところが，水1ℓを液体から気体に変えるためには，539.8 kcalもの熱量が必要である．このことは，水蒸気が液体の水（露）に変わるときには気化熱に相当する熱量を大気中に放出することになる．この事柄を積極的に利用しているのが冷房装置である．これは，アンモニアやフロンガスなどの冷媒をコンプレッサーで圧縮し，それが気化するときに奪う気化熱を冷房に利用している．ただし，近年ではフロンガスは環境に悪影響を及ぼすということから使用が禁止

されている．

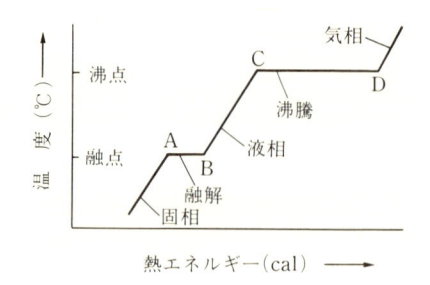

図 6.3 普通の物質に熱エネルギーを加えたときの温度変化

水が沸騰するときと同様の事柄が，固体（氷）から液体（水）に変化するときにも起こる．1気圧で氷から水になるときは，氷が溶け終わるまで0℃で一定である．これは，1gの氷が水になるためには79.7 calの熱量が必要だからである．固体から液体に変わるときに必要とする熱量を**融解熱**という．この融解熱のために，エスキモーの氷の家とか雪洞やかまくらの内部は0℃以下にはならない．したがって，気温が零下の厳しい環境でもわずかの暖房用の火があれば結構暖かいことが理解できる．

「気化熱」と「融解熱」とをひとまとめにして「潜熱」と呼び，物質によって固有の値を持っている．

地球は水の惑星といわれている．水は潜熱が大きく比較的狭い温度範囲で固体・液体・気体の状態変化を行う．このことは，地球の温度変化を小さくすることに役立っている．

問 6.1　0℃，100 gの氷を100℃の水蒸気にするためには何カロリー必要か．
問 6.2　注射などのときアルコールで腕を拭くとひんやりとした感じがする．その理由を説明せよ．
問 6.3　夏に汗をかいた身体に扇風機の風を当てると涼しく感じる．この理由を説明せよ．

6.7　熱の伝わり方

部屋の中でストーブを焚くとなぜ暖かくなるのだろうか．光の速さで8分もかかるほど遠くにある太陽なのに，なぜ太陽が出ると暖かいのだろうか．沸かしすぎた風呂の湯に水を入れるとなぜぬるくなるのだろうか．このような，暖

6.7 熱の伝わり方

かい物が冷たくなっていくとか，冷たかった物が暖められるといった，熱に関した現象は私達の身辺にいっぱいある．

このような現象をどのように説明すればよいのだろうか．古くからこのことに関しては色々と面白い説明がなされてきたが，ここでは混乱を避ける意味で述べない．

ここで取り上げた例は熱の伝わり方に関した事柄である．熱が伝わっていく形式は整理すると3つになる．それは，「伝導」，「対流」，「放射」である．

6.7.1 伝　　　導

物質は一方の端から他端へ直接熱を伝えていく．これが伝導である．熱が伝わっていくときの熱量が多ければ，物質は早く熱くなる．伝えることができる単位時間あたりの熱量は物質の種類によって決まっていて，物質固有の量（熱伝導率）である．単位の断面積を横切って流れる熱量 Q（cal）は，2点間の距離 L（cm）に反比例し，温度差（$T_2 - T_1$），断面積 S（cm^2）に比例する（ニュートンの冷却の法則）．この関係式は，時間を t とすれば

$$Q = \frac{kSt(T_2 - T_1)}{L}$$

となる．比例係数 k は**熱伝導率**と呼ぶ物質に固有な値である．いくつかの物質の熱伝導率を表 6.2 に示す．

鍋・釜・ヤカンなどで手で持つ部分に木材・籐などが取り付けられているのは，木材などが熱を伝えにくいという性質を利用している．また，フライパンなど取っ手の一部が断面積を小さくしてあるのも，断面積と熱量の通過量に比例関係があることを応用している．

一般に，金属はその他の物質より熱を伝えやすい．これは電気の伝えやすさと相関関係がある．

表6.2 物質の熱伝導率 k (cal/cm^2 s・℃)

物　質	熱伝導率	物　質	熱伝導率
銀	0.97	木　材	0.0003
アルミニウム	0.48	水	0.0013
銅	0.92	綿	0.00004
鉛	0.11	アスベスト	0.0002
レ　ン　ガ	0.0015	空気 (20 ℃)	0.00000574
ガ　ラ　ス	0.016		

6.7.2 対　流

　風呂の水はどのようにして温まるのだろうか．ヤカンなどで湯を沸かすとき，中の水がグルグル回るのを見たことがあるであろう．例えば，ビーカーに水を入れ，それにオガ屑などを入れて温めると水が動いている様子をよく見ることができる．水は熱伝導率が小さいため伝導では熱を伝えにくい．一方，水は温まると密度が小さくなり，周囲の水より軽くなるため上に浮き上がり，周囲の冷たい水と入れ替わる．これが**対流**と呼ぶ現象である．

　水や空気のように熱を伝えにくい気体や液体は対流によって，熱が周囲に伝わっていく．風呂の水をかき混ぜると早く温まるのは，人工的に対流を起こしているからである．これを**強制対流**という．

6.7.3 放射（輻射）

　冬に太陽の光が当たっている所は暖かいが，日陰に入ると寒かったり，よく晴れた冬の夜には，冷え込みが厳しいのはなぜだろうか．この現象は，上記の，伝導と対流では説明できない．太陽からの熱は，地球との間は真空なので，伝導に関与する物質はないし，対流も起きないからである．太陽から来る熱は赤外線（熱線ともいう）という形で地球に届いている．これは，光の一種で波動であり，直接に光の当たっている所を温める．また，すべての物質は，その温度によって決まる光（電磁波）を放射している．この電磁波が熱エネルギーを運ぶ役割をしている．このような熱の伝わり方を**放射**という．

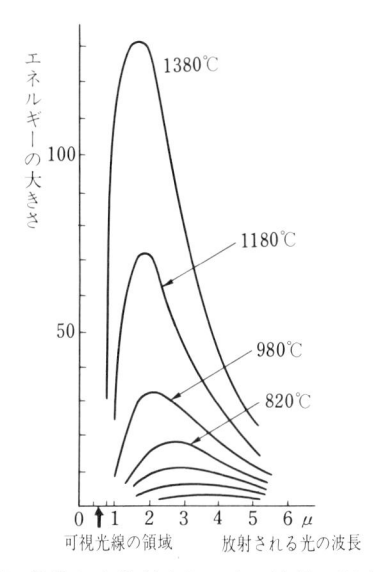

図 6.4 物体から放射される光の波長と温度の関係

ところで，晴れた冬の夜に冷え込むのは，放射冷却現象といわれ，地表の熱が上空に放射され，熱を奪っていくからである．もし，曇っていれば，上空の雲で大気中の熱は反射され，それ以上には逃げられないので，あまり冷え込まないのである．

石油ストーブなどの暖房器具に鏡のような反射板が取り付けられているのを見かける，これは，放射される熱を効率良く利用するためである．このように，冷房・暖房で部屋を効率よく冷やしたり，温めたりするには，放射と対流を有効に利用すると経済的である．

問 6.4 魔法瓶（保温ポット）の構造を図に描け．その図によって，中に入れた湯が長時間さめないで保温できる理由を説明せよ．

6.8 気体の温度・圧力による変化

6.8.1 温度による変化

固体や液体はその温度が変化すると，長さや体積が増減する．固体の長さが温度を上げると伸びる割合を**線膨張率**といい，体積が増加する割合を**体膨張率**

という.液体の温度が上がると体積が増加することは,湯を沸かすときに経験して知っている.線膨張率,体膨張率は物質に固有の量であり,液体の方が固体より体膨張率は大きい.

気体も温度を上げると,その体積が増加する.気体の体膨張率は,気体の種類によらず一定で,1/273.15 である.0°Cのとき体積が V_0 の気体を,圧力を一定に保って温度 t になったときの体積 V は,

$$V = V_0\left(1 + \frac{t}{273.15}\right)$$

で求められる.この式によると,温度が -273.15°C になると気体の体積は 0 になることが示される.実際には,気体は途中で液体に変化するので体積が 0 になってしまうことはない.

-273.15°C を絶対 0 度といい,ここを温度を測る基準にする温度の計り方を絶対温度という.絶対温度の記号は「K」を使い,セ氏の「°C」と区別する.絶対温度で表すと 0°C は 273.15 K ということになる.気体の体膨張を表す式を書き換えると,

$$\frac{V}{V_0} = \frac{273.15 + t}{273.15}$$

と書けるが,

$$T = 273.15 + t \quad (T;絶対温度,\ t;セ氏温度)$$

と置いて,絶対温度を用いて書き換えれば,

$$\frac{V}{T} = \frac{V_0}{T_0} \quad (V_0;T_0 \text{K のときの体積})$$

と表せて簡単な式の形になる.これを**シャルルの法則**という.

6.8.2 圧力による変化

固体や液体は少しくらい圧力を加えても体積は変わらない.例えば,注射器に入れた薬液は,ピストン部を押しても体積は変わらない.ところが,空気のような気体は,押すとその体積は小さくなり,押す力を増すほど体積は小さくなる.一般に,気体に加えた圧力とその体積とは反比例の関係にある.すなわち,圧力 P_1 のときの体積が V_1 の気体を圧縮して圧力を P_2 にすると体積が

V_2 になったとすれば，

$$P_1 V_1 = P_2 V_2 \quad [PV = 一定]$$

という関係が成り立っている．これを**ボイルの法則**という．

このように，気体は圧力を加えると容易にその体積を変える性質を持っているので，これを様々な所に応用している．例えば，バスなどの空気バネを用いて乗り心地を良くするのに利用している．また，酸素ボンベは高さ 1.6 m 程度のボンベに 150 気圧に圧縮することで，1 気圧になったときには 7000〜9000 ℓ もの酸素を蓄えることができる．

問 6.5 1 気圧で 7000 ℓ の酸素を，150 気圧に圧縮すれば，その体積はいくらになるか．

6.8.3 温度・圧力がともに変化するとき

ボイルの法則とシャルルの法則を組み合わせると，気体の温度と圧力が同時に変化したときの関係式が得られる．温度 T_1，圧力 P_1，体積 V_1 の気体が，温度 T_2，圧力 P_2，体積 V_2 になったときには，

$$\frac{P_1 V_1}{T_1} = \frac{P_2 V_2}{T_2}$$

という関係式が成り立つ．これを**ボイル−シャルルの法則**という．この式は，n モルの気体が温度 T，圧力 P，体積 V であるとすれば，気体の状態を表す関係式

$$PV = nRT$$

と同一の表現である．ここで，

$$R = 8.31429 \times 10^3 \text{J/kmol·K}$$

という値で一定である．この R を**気体定数**という．

ボイル−シャルルの法則が成り立つような気体を**理想気体**と呼び，希薄な水素，ヘリウム，酸素，窒素などがこれに近い．

さらに，この関係式は，気体が周囲とエネルギーのやり取りを行いながら変化する場合に成り立つ関係であることに注意しよう．周囲とエネルギーのやり取りができないままに変化が起こる場合には断熱変化といい，次の節で述べる．

6.9 断熱変化

　周囲とエネルギーがやり取りができない状態で気体の圧力や体積を変えるとどのようになるだろうか．自転車の空気入れを押すと筒が熱くなったり，高圧ボンベの栓を急に開くと冷たくなったり，霜が付いたりする．炭酸ガスのボンベのコックを急激に開くとドライアイスができる．これは原理的な話で，実際には大変危険なので実行しないでほしい．なぜなら，ボンベの中にある微少なゴミやサビの破片が摩擦で熱を発生し，爆発をする恐れがあるからである．

　以上のように，急激な変化が起きて，周囲とエネルギーのやり取りができないような変化の仕方を**断熱変化**という．いま，温度 T_1，体積 V_1，圧力 P_1 の気体が，温度 T_2，体積 V_2，圧力 P_2 まで断熱変化をしたとすれば，これらの関係は

$$P_1 V_1^{\gamma} = P_2 V_2^{\gamma} \quad [PV^{\gamma} = 一定]$$
$$T_1 V_1^{\gamma-1} = T_2 V_2^{\gamma-1} \quad [TV^{\gamma-1} = 一定]$$

という式で表せる．ここで，γ（ガンマ）は**比熱比**と呼ばれるもので，気体に固有の値である．空気の場合 $\gamma=1.4$ である．

6.10 熱の利用

　火を焚いて湯を沸かすとか，ストーブで部屋を暖めるといった，直接的な熱エネルギーの利用方法しかないのであろうか．古代の人達は乾いた木と木を擦り合わせて火を起こした．これは，力学的エネルギーを熱エネルギーに変えることができることを意味している．現代では，水蒸気を利用して蒸気タービンを回して発電するとか，内燃機関で車を走らせるなどの利用がなされている．

　図 6.6 のような実験装置を用いて 19 世紀中頃にジュール（J. P. Joule）が実験を行って，「熱と仕事との関係」を調べた．このような実験によると，熱量 Q と仕事 W の間には

$$W = cQ$$

という関係があることがわかった．ここで，比例係数 c は熱の仕事当量といい，J/cal（ジュール/カロリー）で表し，

$$c = 4.185 \, \text{J/cal} \quad (1\,\text{J} = 1\,\text{N·m}, \ 1\,\text{W} = 1\,\text{J/s})$$

である.

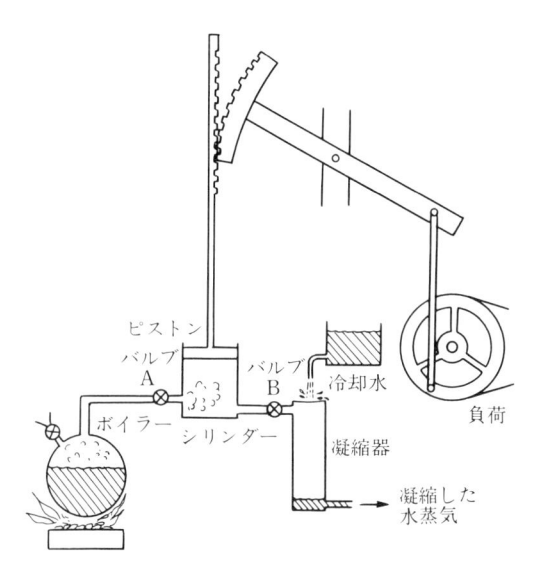

図 6.5 ワットの蒸気機関

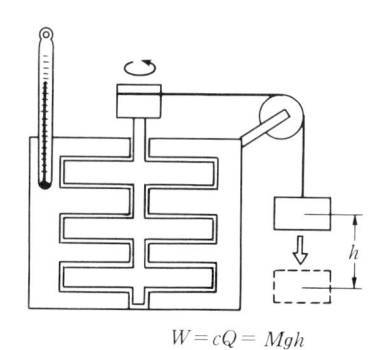

$$W = cQ = Mgh$$

仕事を水温の変化に変えて調べる

図 6.6 ジュールの実験

ジュール（James Prescott Joule；1818～1889）

豊かな醸造業者の家に生まれ，王立協会員になっても，生涯醸造業をやめず，大学の教授にはならなかった．

熱の仕事当量についての詳細な実験と結論についての論文はなかなか認められず，1847年になってやっと発表された．このジュールの発見報告をただ一人熱心に支持していたのはトムソン（Sir W. Thomson；1824～1907（後のケルビン卿））であった．この研究によって，熱もエネルギーの一種であり，力学的エネルギーの損失に等しいだけ熱エネルギーが発生することが明らかにされた．これが，エネルギー保存の法則であって，エネルギーは無から生ずることも，消えてなくなることもなく，姿を変えるだけであることがが説明された．これは，熱と仕事の関係を調べるには重要なため，熱力学の第一法則と呼ばれている．また，トムソンと共同で研究を進め，気体を自由膨張させると温度が少し下がることを発見し，1862年にまとめられた．これがジュール-トムソンの効果と呼ばれるもので，極低温を得るのにきわめて有効な手段となった．

6.11 動物の体温

人間をはじめとして，哺乳動物は食物を摂取し，それを体内で熱エネルギーに変えることで活動のエネルギーを生み出している．人間では1日に約2400 calを標準として必要である．表6.3に，私達の身辺の動物の体温を掲げる．一般的には体の小さな動物ほど体温が高めになっていることに注目しよう．

表6.3 動物の体温 （°C）

動物	体温	動物	体温	動物	体温
ヒバリ	41.5	猫	39.2	馬	37.8
カラス	42.8	犬	39.0	豚	39.7
スズメ	42.1	兎	39.5	ラクダ	37.9
ハト	40.6			山羊	40.0
キジ	41.5			羊	39.9
ニワトリ	41.5			象	36.5
ガチョウ	41.3				

6.11 動物の体温

次に固体・液体・気体の状態を示す模型図（図 6.7）と中世の頃の温度計（図 6.8）を示しておく．

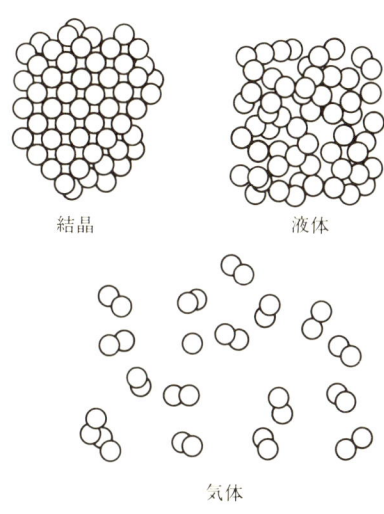

図 6.7 個体，液体，気体の内部の原子(分子)の並び方を示す模型（L. ポーリング「一般化学」1953 年に基づく）

図 6.8 中世の温度計

ガリレイの学風を受けついだ 17 世紀のフィレンツェ実践学派の巧妙な温度計．

液体の体膨張をぐるぐる巻きにした細管部に導き，温度を読み取る．現代の水銀温度計，アルコール温度計と同じ原理を用いている．

★人の熱放出★

　成人男子が一日に必要とするカロリーは 2400 kcal といわれている．これを食物で毎日摂取している．これがすべて熱として 1 日で放出されるとすれば，人の熱放出はどのくらいになるであろうか？

$$2400\times1000\times4.2/(24\times60\times60)\sim117(J/s)=117(W)$$

すなわち，人一人が約 100 W の熱を絶えず放出していることを示している．このことから，冬に人が多く集まっている教室は暖かくなるし，冷房が行われている部屋に多くの人が集まると，冷房がききにくくなるのはこのためである．

7 章

電磁気学

　現代社会では，電気・磁気の知識なしでは快適で豊かな生活ができないまでに電化されている．電気・磁気の正しい知識を身につけておくと，事故を起こすことも少なく，器具も長持ちさせることができるのではないだろうか．医療器具も電気をエネルギー源とするもの，電磁気の現象を応用した機器が数多くある．例えば，単純な原理のホットパックからレントゲン装置，CTスキャン装置まで電磁気学に係わる装置である．

　電気・磁気に関する現象の研究は古く，紀元前に遡る．B.C. 600年頃にはターレスによって，琥珀を毛皮で擦ると軽い物を引き寄せる現象，いわゆる，摩擦電気の現象が発見されたといわれている．また，磁鉄鉱は鉄を引き付け，糸に結んで吊すと南北を指し示すことも知られていた．電気，磁気のうちで実用器具に応用されたのは磁気現象が最初であり，羅針盤がそれである．これは，紀元200年頃中国で発明された．これは現代の方位磁石のように小さな物ではなく，馬車1台分の大きさであった．すなわち，馬車に水槽を載せ，それに磁鉄鉱を積んだ舟を浮かべたもので，舟の上に取り付けた木像の右手が絶えず南を指し示す構造になっていた．これを指南車という．"物事を教える"という意味の「指南」という言葉の語源はここにある．

　その後，ファラデー（M. Faraday；1791〜1867），マクスウェル（J.C. Maxwell；1831〜1879），ローレンツ（H.A. Lorentz；1853〜1928），ヘルツ（G.L. Hertz；1887〜1975）などの研究を経て今日の電磁気学の姿が確立された．

★マクスウェルの方程式★

電気・磁気についての基本法則を整理するとマクスウェルの方程式として整理できる（ニュートンの運動の法則に相当するもの）．

$[D = \varepsilon E, \ B = \mu H]$

積 分 型　　　　　　　　　　　微 分 型

$\int_s D_n dS = \int_v \rho dv$　　　　　　　　　$\nabla \cdot D = \rho$

$\int_s B_n dS = 0$　　　　　　　　　　$\nabla \cdot B = 0$

$\int_c E dr = -\dfrac{d}{dt} \int_s B_n dS$　　　　　$\nabla \times E = -\dfrac{\partial B}{\partial t}$

$\int_c H dr = \int_s i dS + \dfrac{d}{dt} \int_s D_n dS$　　$\nabla \times H = i + \dfrac{\partial D}{\partial t}$

7.1　電気の種類

物と物を擦り合わせると生じる摩擦電気は17世紀始め頃イギリスのギルバート（W. Gil'bert）によって詳しく調べられた．彼は摩擦によって物を引き付ける物質を「電気」と呼んだ．布で擦ったエボナイト棒に，同じように布で擦ったガラス棒を近付けると，反発する（逃げる）ことを発見した．このとき，ガラス棒の方にある電気を「正の電気」，エボナイト棒の方にある電気を「負の電気」と呼んだ．

このように，いくつかの実験を経て，今日では電気を担う物質の正体は，

　　正の電気：正イオン，陽子，陽電子

　　負の電気：負イオン，電子

であることが知られている．

これらの正の電気，負の電気（および，正または負の電気を帯びた物質）をひとまとめにして**電荷**と呼ぶ．

7.2　電荷に働く力

正の電荷どうし，または，負の電荷どうしは互いにしりぞけ合うし，正の電荷と負の電荷は互いに引き合う．この現象を詳しく実験で調べたのは，フラン

7.2 電荷に働く力

スのクーロン (C. A. Coulomb) であった．彼は，図7.1のような精密なねじり秤の先に電荷を吊し，それに別の電荷を近づけてねじれの大きさでその力を測定した．クーロンの実験によると，2つの電荷の間に互いに働く力は，互いの距離の2乗に反比例し，互いの電気量に比例し，その力の方向は2つの電荷を結ぶ直線上にあり，電荷が互いに異符号ならば"引力"，同符号ならば"斥力"となっている．

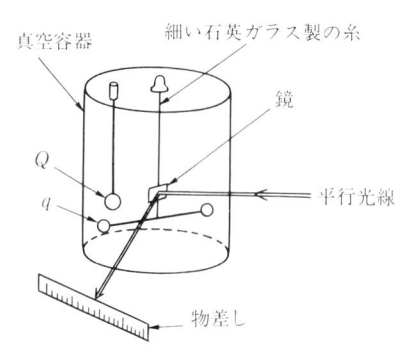

図 7.1 クーロンの実験

さて，2つの電荷の持つ電気量を q, Q とする．ここで，$q<0$ または $Q<0$ のときは負の電気，$q>0$ または $Q>0$ のときは正の電気を表す．互いの距離が r であるならば，電荷の間に働く力 F は，

$$F = k\frac{qQ}{r^2}$$

で表せる．これは万有引力の式と同じ型であることに注意しよう．k は比例係数であるが，SI 単位系では，

  電気量：C（クーロン）
  距　離：m（メートル）
  力　：N（ニュートン）

を用いると，

$$k = \frac{1}{4\pi\varepsilon_0}$$

$$\varepsilon_0 = \frac{10^7}{4\pi c^2} = 8.85418782 \times 10^{-12} \quad \text{C}^2/\text{N}\cdot\text{m}^2$$

$$c = 3 \times 10^8 \text{ m/s} \quad (光速度)$$

となる．ここで，ε_0 は**真空の誘電率**という．もし，真空でなく空気とか油とかの物質中であれば，物質の誘電率 ε（イプシロン）を ε_0 の代わりに用いればよい．また，$\varepsilon/\varepsilon_0$ を**比誘電率**という．以上のことから，電気に関するクーロンの法則は，

$$F = \frac{1}{4\pi\varepsilon_0} \frac{qQ}{r^2}$$

という式で表せる（図 7.2）．表 7.1 に比誘電率をいくつかの物質について掲げる．

〔真空中〕

⟹ F ：引力（q, Q が異符号のとき）

→ F ：斥力（q, Q が同符号のとき）

$$F = \frac{1}{4\pi\varepsilon_0} \frac{qQ}{r^2}$$

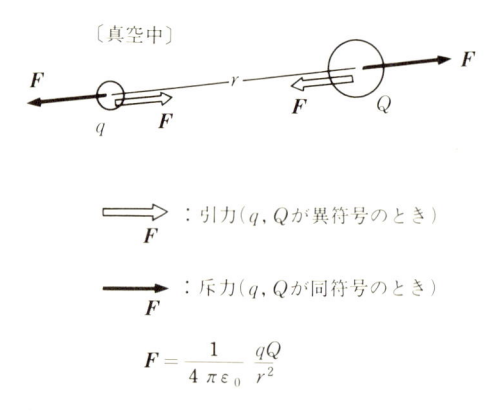

図 7.2 電荷に働く電気力（クーロンの法則）

表 7.1 比誘電率 ($\varepsilon/\varepsilon_0$)

物　　質	比誘電率	物　　質	比誘電率
水	78	ガ ラ ス	5〜16
空　　気	1.00059	水　　素	1.00027
メチルアルコール	33.64	エチルアルコール	9.72
雲　　母	7.0	ゴ　　ム	8.5

C. A. クーロン（Charles Augustin Coulomb；1738～1806）

上流の家庭に生まれ，政治的不安の時代に少年期を過ごした．科学と数学を学び，軍の技術者となった．彼の著書『単純な機械の理論』によってフランス学士院会員の地位を得た．機械の研究をしているうちにねじれ秤を発明して，それを使って電荷による力の研究を進めるようになった．

7.3 電気を蓄える

電気を起こす方法は，昔から様々な方法が考案されてきた．現代では，電気を発生するには発電機と電池が広く用いられている．江戸時代に平賀源内は松ヤニを塗ったガラス瓶を回して摩擦によって電気を発生させている．

電気が発生するということはどういうことであろうか．物質内部では原子・分子と電子が存在していて，電気が発生するということは，これらの互いの位置が少しずれるか，一部が剥されて，電子かイオンが自由に動くようになるだけのことである．したがって，少し時間が経つと，クーロンの法則によって周辺の電荷を取り込み元の状態に戻ってしまう．大変な努力をして発生させた電気を蓄えようと様々な努力がなされた．オランダの物理学者ファン・ミュセンブレック（P. van Musschenbroek；1692～1761）はライデン大学でこの研究

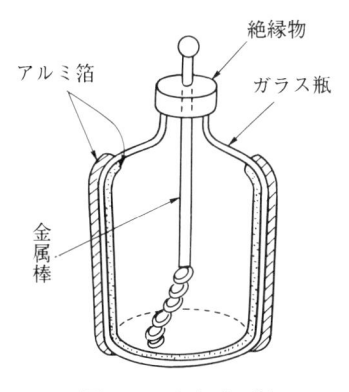

図 7.3 ライデン瓶

を行い，**ライデン瓶**を発明した．これが今日のコンデンサーの始まりである．ライデン瓶は図7.3のように，瓶の内側と外側にスズ箔を貼り付け，内側の箔と接続するための真鍮の棒が瓶の蓋に取り付けてある簡単な品物である．

現在のコンデンサーはずっと小形で性能向上がなされている．構造は絶縁油を染み込ませた紙とアルミ箔をそれぞれ2枚重ね合わせ円筒形にまとめたもので，図7.4に示す平行平板コンデンサーの原理を基本としている．

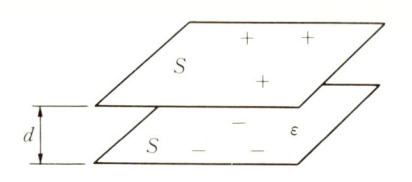

図 **7.4** 平行平板コンデンサー

7.3.1 コンデンサーの容量

コンデンサーが電気を蓄える能力を**コンデンサーの容量**といい，C という記号で表すのが一般的である．コンデンサーの容量を表す単位はファラッド〔F〕である．いま，面積が S の2枚の金属板を間隔 d で平行に配置し，その内部に誘電率 ε の物質を満たした場合のコンデンサーの容量 C は，

$$C = \frac{\varepsilon S}{d}$$

で表され，金属板の面積が大きいほど，間隔がせまいほど，誘電率が大きいほどコンデンサーの容量は大きくなる．

7.3.2 コンデンサーの接続

2つ，あるいは2つ以上のコンデンサーを接続する必要が出てくることがある．接続の仕方には2種類あり，合成した容量は次のようになる（図7.5）．

1) 並列接続

 容量が C_1, C_2, …, のコンデンサーを並列に接続したときの全体の合成容量 C は，

$$C = C_1 + C_2 + \cdots\cdots$$

で計算できる．並列接続では，コンデンサーに蓄える電荷をそれぞれのコ

7.3 電気を蓄える

ンデンサーが分担しあうのが特徴である．

2) 直列接続

容量が C_1, C_2, $\cdots$, のコンデンサーを直列に接続したときの全体の合成容量 C は，

$$\frac{1}{C} = \frac{1}{C_1} + \frac{1}{C_2} + \cdots\cdots$$

で計算できる．直列接続では，コンデンサーに加わる電圧をそれぞれのコンデンサーが分担しあうのが特徴である．

電解コンデンサー

回路図に用いるコンデンサーの記号

〔並列接続〕

$Q = Q_1 + Q_2 + \cdots + Q_n$
$CV = C_1 V + C_2 V + \cdots + C_n V$

⇓

$C = C_1 + C_2 + \cdots + C_n$

〔直列接続〕

$V = V_1 + V_2 + \cdots + V_n$

$$\frac{Q}{C} = \frac{Q}{C_1} + \frac{Q}{C_2} + \cdots + \frac{Q}{C_n}$$

⇓

$$\frac{1}{C} = \frac{1}{C_1} + \frac{1}{C_2} + \cdots + \frac{1}{C_n}$$

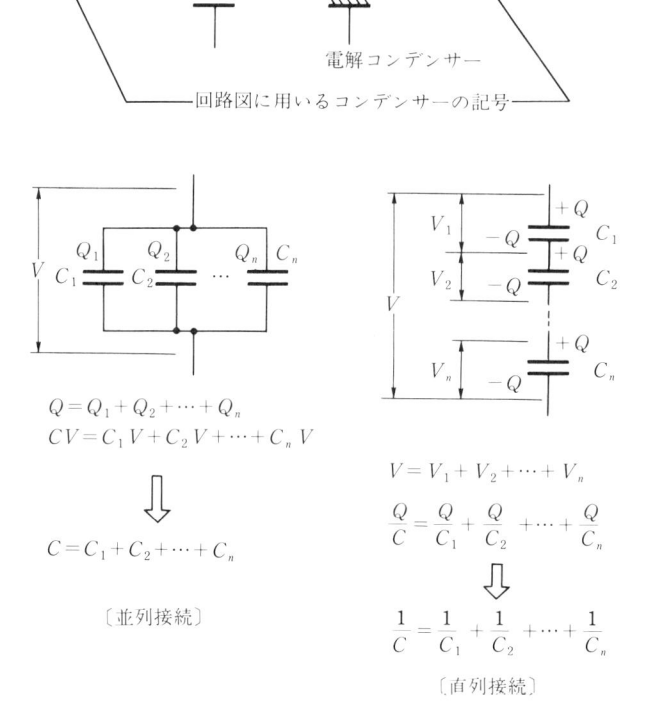

図 7.5　コンデンサーの接続

7.3.3 容量の単位

コンデンサーの容量を表す単位はF（ファラッド）である．これは，コンデンサーに1C（クーロン）の電気量を蓄えたとき，電極の両端の電圧が1V（ボルト）となる量である．これは，コンデンサーに加えた電圧Vと容量Cと電気量Qの間に

$$Q = CV, \quad C = \frac{Q}{V}$$

という関係があるためである．

1Fという量は非常に大きい量なので，日常はμF，pFを用いる．

$$1\,\mu\text{F}（マイクロファラッド）= 10^{-6}\text{F}$$
$$1\,\text{pF}（ピコファラッド）= 10^{-12}\text{F}$$

問 7.1 50μFと100μFのコンデンサーを直列，および並列に接続したときの合成容量はそれぞれいくらになるか．

問 7.2 電極の面積が1m^{2}の平行平板コンデンサーの電極の間に水を満たしたときの電気容量はいくらになるか．

7.4 電気の流れ（電流）

コンデンサーや電池の両端を電線で接続すると，蓄えられていた電荷が正電極側から負電極側へ移動する．この電荷が移動している状態を電流が流れているという．電流の大きさは単位時間に移動（変化）する電荷の量（電気量）で表す．すなわち，Δt秒間にΔQの電気量が変化したときの電流Iは，

$$I = \lim_{\Delta t \to 0} \frac{\Delta Q}{\Delta t} = \frac{dQ}{dt}$$

である．電流の単位はA（アンペア）である．1Aの電流は1秒間に1Cの電荷が移動したことになる．

7.4 電気の流れ（電流）

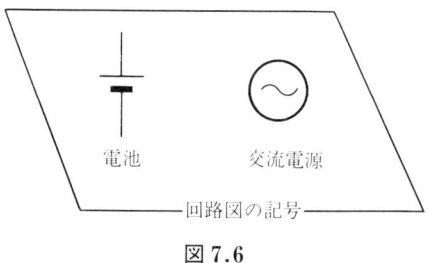

図 7.6　電池／交流電源／回路図の記号

電流は，その時間的な変化の仕方で次のような呼び方をする．

1) 直　流

　電池の両極に電線をつないだときには一定の大きさの電流が流れ続け，時間的にはその大きさは変化しない（図7.7）．このような時間的に一定な電流を直流という．

2) 交　流

　家庭用の電気がその代表で，時間と共にその流れる向きと大きさが周期的に変化する電流のことである．

　1秒間に何回同じ状態を繰り返すかを，交流の周波数といいHz（ヘルツ）で表す．家庭用交流は地質学上の糸魚川—静岡線を境に西側（関西）では60 Hz，東側（関東）では50 Hzになっている．

3) その他

　心電流，筋電流，スパイク状に間欠的に流れる電流を**パルス電流**という．また，交流を整流するときに現れる脈流などがある．

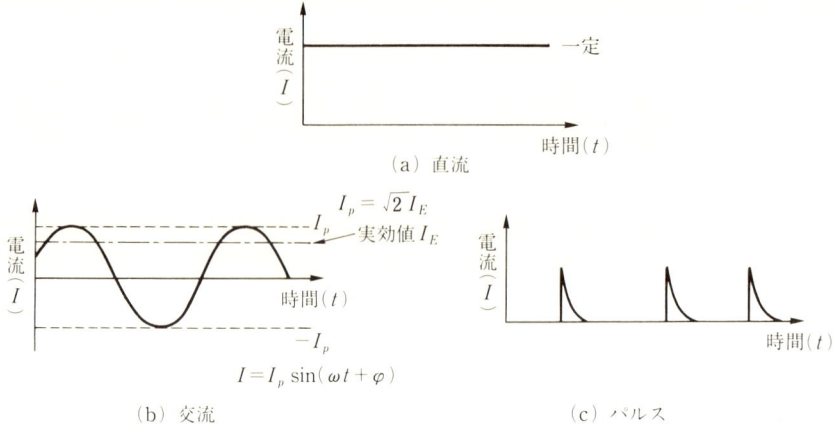

図 7.7 電流の種類

7.5 電圧と電場

7.5.1 電圧と電場

乾電池の電圧は 1.5 V とか，家庭用交流の電圧は 100 V であることは知っているだろう．この電圧とはどのようなことをいっているのであろうか．

電荷を正電極あるいは負電極に蓄えるにはそれなりの仕事を必要とする．この仕事を電荷を蓄えるためのエネルギー（電位）という．この電位の差を電位差という．この電位差を電圧ともいう．また，電荷の間には力が働いている．この電荷に力を及ぼすような空間には電気的な場（電場，または電界）があると考える．これは，地球上では重力が働いているが，このような空間を重力場という考えと同じである．このことを以下に述べる．

電気量 q と Q を持った電荷が距離 r を隔てて，図 7.8 のように位置しているとしよう．

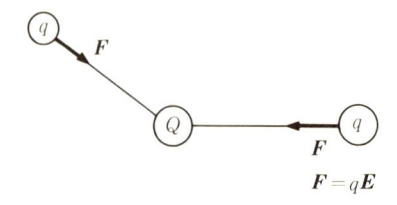

図 7.8 電場と力の関係

7.5 電圧と電場

この電荷に働く力はクーロンの法則から，

$$F = \frac{1}{4\pi\varepsilon}\frac{qQ}{r^2}$$

であった．ここで，

$$E = \frac{1}{4\pi\varepsilon}\frac{Q}{r^2}$$

と置くと，電荷 q に働く力は，

$$F = qE$$

と書ける．この場合，E を電荷 Q が r の位置に作る電場という．このことから，電場 E の中に置かれた電荷 q に働く力 F は，

$$[力] = [電気量] \times [電場]$$

で表せる．

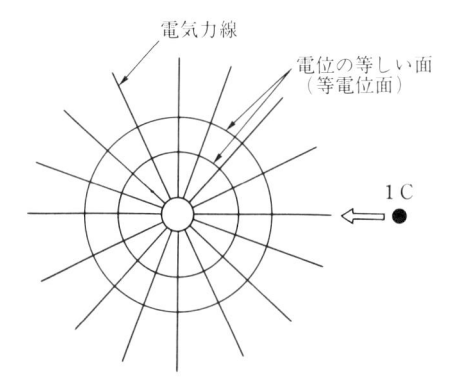

図 7.9 点電荷の作る電場と電気力線の様子

電荷（点電荷）Q が周囲に作る電場 E の強さは，距離の 2 乗に反比例し，電気量 Q に比例している．いま，電荷 q を無限に遠い所から電荷 Q に近づけてくるとしよう．力 F に逆らって電荷 q を運ぶから，それだけ仕事を行わなければならない．$r=\infty$ の位置から有限の位置まで $q=1\,\mathrm{C}$ の電荷を運ぶために必要な仕事 V は，

$$V = \int_r^\infty E\,\mathrm{d}r = \int_r^\infty \frac{Q\,\mathrm{d}r}{4\pi\varepsilon r^2} = \frac{Q}{4\pi\varepsilon r}$$

となる．この仕事を r の位置の**電位**という．

$r=r_1$ での電位を V_1, $r=r_2$ での電位を V_2 とすると，

$$V = V_2 - V_1$$

を 2 点間の**電位差**という．日常，電圧といっているのはこの電位差であることが多い．

以上から，距離 d の間の電圧 V が加えられている場合の電場の大きさ E は，

$$E = \frac{V}{d}$$

で求めることができる．

見方を変えるならば，電場とは，1 m あたりの電位差であると考えられる．電圧の単位は V（ボルト），電場の単位は V/m である．

7.5.2 交流電圧

家庭に送電されてくる交流の電圧も電流と同様に正弦波で時間的に変化している．2 本の電線で送られる交流を**単相交流**といい，動力などに使用されている 3 本の電線で送られる交流を **3 相交流**という．交流の場合，電圧と電流の間に位相の変化が生じる場合があるが，位相の差が大きいほど効率は悪くなる．

交流電圧が 100 V，交流電流が 1 A といっているのは，実効値と呼ばれるもので，直流電圧，直流電流と同じ扱いができるようになっている．交流電圧，電流の実効値とそれらのピーク値とは，

$$[\text{ピーク値}] = \sqrt{2} \times [\text{実効値}]$$

という関係になっている（図 7.10）．例えば，実効値 100 V の交流のピーク電圧は 141 V となっている．

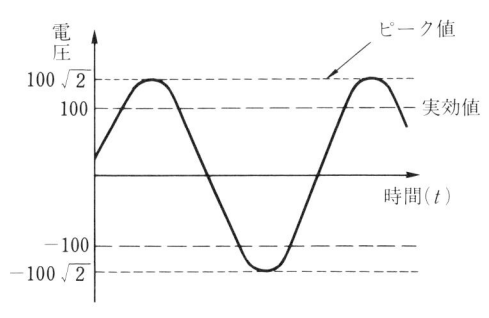

図 7.10 交流電圧

7.6 抵　　抗

　水などの流体がパイプなどの中を流れるときには，流体の粘性によって流れに抵抗が生じた．したがって，パイプの中をたくさん水を流そうとすればするほど，圧力を高くする必要があった．また，細いパイプほど水は流れにくく，抵抗が大きかった．これらと似た振舞いを電流も示す．

　電線などを流れる電流は，金属などの内部にある電子（自由電子）の移動によって支えられている．これらの電子は，移動できない原子の隙間をぬって動かなければならないので，あちこちで原子に衝突し，運動の方向や速度が変えられる．これが電流に対する抵抗（電気抵抗）の原因となっている．これは，流体の粘性抵抗によく似ている．

　抵抗が大きいほど，電流は流れにくくなり，多量の電流を流そうとすればするほど電圧を高くしなければならない．電気抵抗を R，電圧を V，電流を I とすれば，これらの間の関係は，

$$V = IR$$

となっている．これを**オームの法則**という（図7.11）．

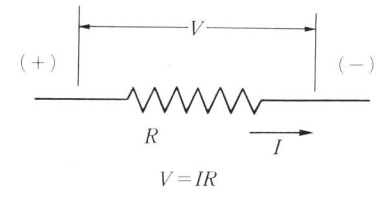

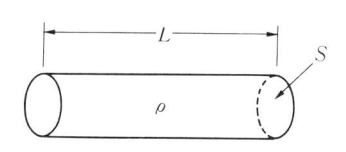

図 7.11　オームの法則　　**図 7.12**　有限の大きさを持つ物体の抵抗

電圧の単位をボルト（V），電流の単位をアンペア（A）とすれば，抵抗の単位はオーム（Ω）となる．$R=V/I$ という関係から，

$$1\,\Omega = \frac{1\,\text{V}}{1\,\text{A}}$$

となる．

　パイプを通して水を流がそうとするとき，パイプが太くて短いほど，流しやすいだろう．電流についても同様のことが当てはまる．いま，断面積 S，長さ L の電線の抵抗 R は，

$$R = \frac{\rho L}{S}$$

という関係になっている（図7.12）．比例係数 ρ は，物質固有の値をとり，物質の**体積抵抗率**（単位：Ω・m）と呼ぶ（表7.2 参照）．

　この体積抵抗率は物質の温度によって大きく変わる．一般に温度が上昇すると増加するが，サーミスタのように温度の上昇につれて減少する物質もある．

表7.2　物質の体積抵抗率 ρ　（Ω・m）
（すべて20℃のときの値）

物　質	体積抵抗率	物　質	体積抵抗率
金	2.4×10^{-8}	銀	1.62×10^{-8}
鉄	9.8×10^{-8}	銅	1.72×10^{-8}
タングステン	5.5×10^{-8}	アルミニウム	2.75×10^{-8}
水　銀	5.8×10^{-8}	黄　銅	$5 \sim 7 \times 10^{-8}$
パラフィン	$10^{14} \sim 10^{17}$	ナイロン	$10^{10} \sim 10^{13}$
天然ゴム	$10^{13} \sim 10^{15}$	石英ガラス	$> 10^{15}$

問7.3　3.0 V の電池に 1.5 Ω の抵抗を持つ電線を接続したとき，いくらの電流が流れるか．

★**単位のユーモア**（オーム（ohm）とモー（mho））★

　電気抵抗の単位はオーム（ohm, Ω）で表される．これは，電流の流れ難さを示しているが，電流の流れやすさを表すには抵抗の逆数を使用すればよい．したがって，単位は ohm を逆にしてモー（mho, ℧）となる．これは本当の話である．

7.7 電　　力

7.7.1 ジュール熱

電線の中を動く電子は，電線内部の原子などに衝突し，その運動エネルギーの一部を失っている．このようにして失われたエネルギーは熱エネルギーに変化し，電線の温度を上昇させる．この結果，外部から電線の両端に加えられた電圧は，熱エネルギーに変わっていくにつれて，低くなっていく．このことは，電流と電圧がエネルギーと関係があることを暗示している．このようにして発生する熱を**ジュール熱**と呼ぶ．

抵抗 R の電線の両端に電圧（電位差）V を与えると，オームの法則から，

$$I = \frac{V}{R}$$

の電流が流れる．Δt 秒間に電線の一端から流れ込む電気量は $I \cdot \Delta t$ クーロンである．電線が受け取るエネルギー ΔW は $\Delta W = VI \cdot \Delta t$ となっているので，単位時間あたり

$$P = \frac{\Delta W}{\Delta t} = VI$$

のエネルギーが与えられ，ジュール熱になる．電線など，抵抗を持っていて電流を流す物を負荷という．したがって，抵抗 R の負荷で消費される電力 P は，

$$P = VI = I^2 R = \frac{V^2}{R}$$

で表される．電力の単位は

$$\frac{ジュール（J）}{秒（s）} = ワット（W）$$

である．

7.7.2 ジュール熱の応用

ジュール熱は様々な所で利用されている．家庭では，電熱器，電気ストーブ，トースター，電気毛布，ホームこたつ，白熱電球などがあり，医療器具で

は，ホットパックがある．電気抵抗は物質の温度が上昇するにつれて著しく増加する．このため，電熱器などジュール熱を利用している器具は，スイッチを入れたときには，発熱体の温度が低く抵抗が小さいので，大きな電流が流れるので，注意が必要である．

一般家庭に設置されているブレーカーは1個が15Aか25Aである．一度に沢山の電気器具のスイッチを入れると，その瞬間に特に大量の電流が流れ，ブレーカーが切れやすいので注意が必要である．また，電気コードに流せる電流は最大12Aか15Aなので，コンセントに接続する家電製品の量に注意が必要である．

問 7.4 100Vの交流で使用する800Wの電熱器は，スイッチを入れてしばらくしたときに何アンペアの電流が流れるか．

問 7.5 電熱器のニクロム線の端が断線したので，端の方を少し捨てて接続した．ニクロム線の長さはもとの長さの2/3になった．発熱量の変化はいくらか．ただし，ニクロム線の温度は切り詰めても変化しないものとする．

7.8 抵抗の接続

抵抗の接続の仕方も，コンデンサーの場合と同様に直列接続と並列接続がある．それぞれについて，電圧の加わり方，電流の流れ方，合成抵抗の大きさについて考えてみよう．

7.8.1 並列接続

図7.13のように接続する方法を**並列接続**という．それぞれの抵抗の大きさを R_1, R_2, ……, R_n とすると，すべての抵抗には等しく電圧 V が加わっている．それぞれの抵抗を流れる電流を I_1, I_2, ……, I_n とすると，オームの法則から，

$$I_1 = \frac{V}{R_1}, \ I_2 = \frac{V}{R_2}, \ \cdots\cdots, \ I_n = \frac{V}{R_n}$$

となる．抵抗全体を流れる電流 I は，

$$I = I_1 + I_2 + \cdots\cdots + I_n$$

なので，合成抵抗の大きさを R とすると $I = V/R$ という関係が成り立ってい

るはずである．したがって，

$$\frac{V}{R} = \frac{V}{R_1} + \frac{V}{R_2} + \cdots\cdots + \frac{V}{R_n}$$

となる．このことから，合成抵抗の大きさ R は

$$\frac{1}{R} = \frac{1}{R_1} + \frac{1}{R_2} + \cdots\cdots + \frac{1}{R_n}$$

で求めることができる．

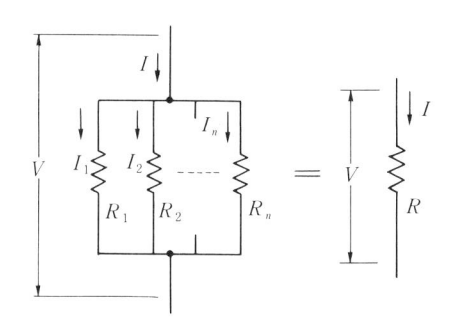

図 7.13 抵抗の並列接続

並列接続はすべての抵抗（負荷）に同じ電圧が加わるのが特徴である．家屋に取り付けられているコンセントはすべての電気器具が並列に接続されるように作られている．

7.8.2 直列接続

図 7.14 のようにすべての抵抗を一列に接続する方法を**直列接続**という．それぞれの抵抗の大きさ（抵抗値）を R_1, R_2, ……, R_n とし，その両端に電圧 V を加えると電流 I が流れた．この電流はすべての抵抗で等しいのが特徴である．電圧 V はそれぞれの抵抗で分割されている．その電圧を V_1, V_2, ……, V_n とすると，

$$V = V_1 + V_2 + \cdots\cdots + V_n$$

が成り立っている．また，オームの法則から，

$$V_1 = IR_1, \quad V_2 = IR_2, \quad \cdots\cdots, \quad V_n = IR_n$$

という関係がそれぞれの抵抗で成り立っている．合成された抵抗の大きさを R とすると，$V = IR$ という関係があるので，

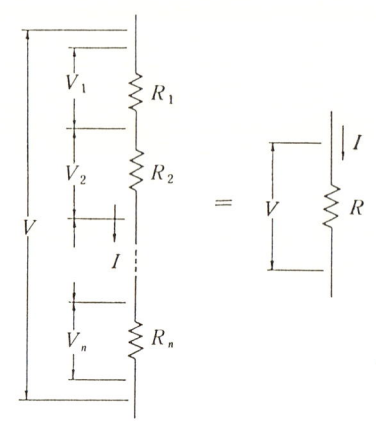

図7.14 抵抗の直列接続

$$IR = IR_1 + IR_2 + \cdots\cdots + IR_n$$

という関係が得られる．したがって，合成抵抗値 R は，

$$R = R_1 + R_2 + \cdots\cdots + R_n$$

で計算できることがわかる．

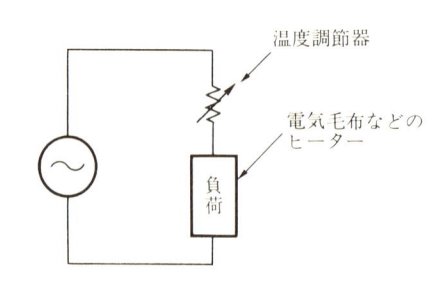

　直列に負荷を接続したときには，それぞれの抵抗値の大小に関係なく，同じ大きさの電流が流れるのが特徴である．このことから，図7.15のように一つの抵抗値を自由に変化できるようにしておけば，流れる電流値を変化させることが可能になる．この原理を応用して電気毛布とかアンカなどの温度が調節されている．また，電熱器で 800 W と 400 W の切り替えをしても，発熱部の面積を変えないようにするために，400 W ヒーター2本を並列，直列とスイッチで接続の仕方を変える方法が採用されている．

図7.15 可変抵抗による電流の調節

問 7.6　下図のように抵抗3個が，直列・並列と組み合わされて，その両端に 12 V の電池を接続した．合成抵抗の値，電池から流れる電流，それぞれの抵抗に加わる電圧，それぞれの抵抗を流れる電流を求めよ．

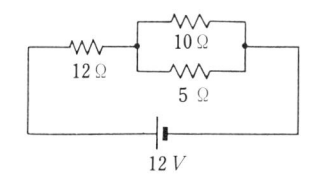

7.9　人体と電気

　私達の身辺には電気の発生源が数多くあり，様々な形で，身体はそれらの影響を受けている．また，身体の筋肉の収縮・弛緩や様々な臓器のコントロールなどの働きは電気信号で行われている．したがって，身体に電極を取り付けて電気信号の様子を知ることによって，身体の状態を知る手がかりを得ることができる．これが，医療分野で応用される受動的な利用であり，また，積極的に外部から身体に電流を流し，治療に応用することも行われている．これが，能動的な利用の仕方である．

7.9.1　身辺の電気

　家庭や職場に送電されている交流，ラジオとか懐中電灯に使う乾電池，自動車のバッテリーなど，様々な電気の発生源が身近に存在している．また，雷は自然界で最も電力が大きな電気の発生源である．この雷は，1752 年にアメリカのフランクリン（B. Franklin；1706～1790）が，雷雨の中で針金と金属片による検電器を付けた布製の凧を上げて電気の放電現象であることを確かめた．雷は，古くから人類と深く関わってきた．現代でも，落雷によって停電したり火災になったりすることがある．この落雷を防ぐには避雷針を設置し，雷の電気をゆっくりと逃がす方法が用いられる．避雷針が有効な範囲は図 7.16 に示すように，45°の円錐形の内部である．

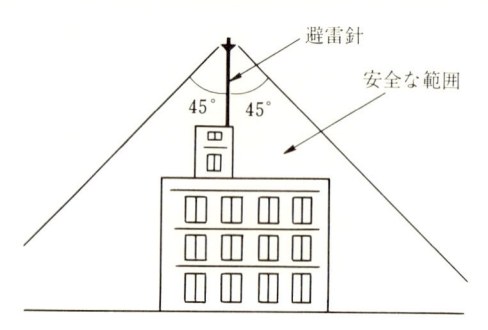

図 7.16　避雷針が有効な範囲

　よく乾燥した日に衣服を脱ぐとパチパチ火花が出たり，ドアの取っ手に手を触れるとビリビリとくるのは摩擦によって発生した静電気が原因である．静電気の電圧は数千ボルトにもなるが，蓄えられる電気量が少ないので，放電によって流れる電流は数マイクロアンペア以下なので一般には大事に到らないことが多い．ところが，石油やガソリンなどを運ぶタンクローリー車では，小さな火花でも油に火がつくので，いつも鎖を路面に接触させて静電気を逃がすようにしている．

7.9.2　人体の電気的特性

　私達の身体は皮膚と髪の毛によって，機械的な衝撃からも電気からも守られている．人体で最も電気を伝えにくい（電気抵抗が大きい）所は皮膚である．手が乾いている場合，右手と左手の間の抵抗は，個人差はあるが $100\ \mathrm{k\Omega}\sim300\ \mathrm{k\Omega}$ である．個人差は皮膚の乾燥の度合に大きく依存している．もし，手が水などで濡れていると，抵抗は極端に低くなり，$50\ \mathrm{k\Omega}$ 以下になるので，濡れた手などでスイッチなどに触れることは非常に危険となる．

　人体に電気が流れると，筋肉は収縮する．そのため，手のひら側で感電すると，電流が流れている器具を握る形になって，逃げられなくなり危険性は増すことになる．人体を流れる電流の量と身体の反応を表 7.3 に示しておく．

7.9 人体と電気

表 7.3 電流の量と身体の反応

電流の量	身 体 の 反 応
0.3〜1.0 mA	筋肉の収縮が起こる．心臓を流れると拍動が停止する．
〜 10 mA	全身にけいれんが起きる．
15 mA 以上	呼吸機能が停止する．

もし，心臓に電流が流れた場合には表 7.3 に示した状況はあてはまらなくなる．1〜2 mA の電流を心臓に流しただけで拍動が停止してしまう．このことから，一般的には心臓に近い左手で電気器具に触れることは特に危険である．電圧としては，1000 V 以上の場合には，身体の一部分が火傷になるとか，衝撃ではねとばされることになる．比較的低い 100 V〜200 V の電圧では，普段の慣れとあいまって，体内深くまで電流が流れることが多く，最も危険である．

人体は，周囲の気象環境だけでなく心理的な状況にも反応して脈拍が変化するとか，発汗するとか，皮膚が収縮するとかする．ポリグラフ（嘘発見機）はこのような生理現象を電気的信号で捉える装置である．

7.9.3 生体内の電気

電気ウナギ，電気ナマズのように数百ボルトもの電気を発生できる生物もいるが，これらは特殊な例である．動物はすべて筋肉などのコントロールを電気信号で行っているし，逆に，筋肉などが動けば電気が発生しているが，これらの電気は非常に微弱なものである．

人体にはいたる所に電気の発生源がある．大脳，心筋，骨格筋，神経，網膜，さらには，内臓の平滑筋と様々である．また，脳内のニューロンの間で電気信号が行き交っていると考えられている．これらの電気を電極をそれぞれの所に取り付けて，信号として取り出せば，身体内部の様子，病変の状態を推定する有力な手がかりとなる．医療現場で用いているいくつかを次に挙げる．

① 心電計……心筋の活動によって生じる電気信号を記録する（図 7.17）．

$$周波数：0.1〜200 \text{ Hz}$$
$$電\ \ 圧：〜 1 \text{ mV}$$

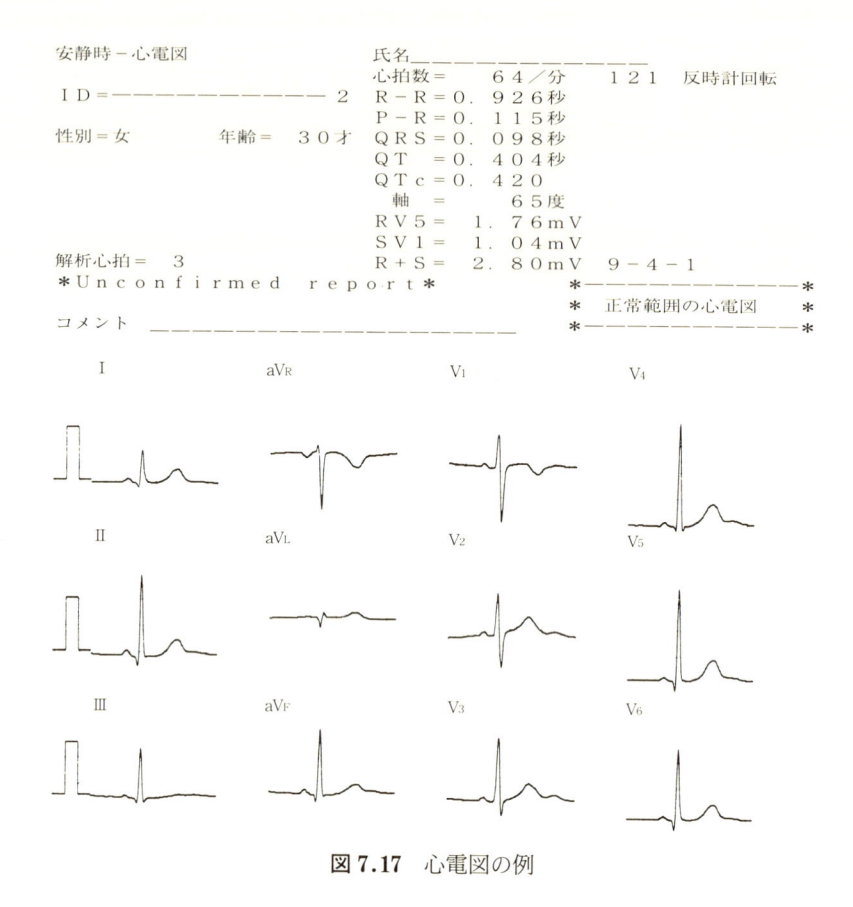

```
安静時-心電図              氏名_____
                         心拍数=   64／分    121   反時計回転
   ID=——————— 2    R-R=0.926秒
                         P-R=0.115秒
   性別=女    年齢= 30才  QRS=0.098秒
                         QT =0.404秒
                         QTc=0.420
                         軸 =    65度
                         RV5=  1.76mV
                         SV1=  1.04mV
   解析心拍= 3            R+S=  2.80mV  9-4-1
   *————————————————————  *——————————————*
   *Unconfirmed report*        *  正常範囲の心電図  *
                              *——————————————*
   コメント _____
```

  I   aVR   V1   V4

  II   aVL   V2   V5

  III   aVF   V3   V6

図 7.17 心電図の例

抵抗値：1〜20 kΩ

② 脳波計……大脳皮質の活動によって生じる電圧の変動を記録する．

周波数：0.5〜70 Hz

電　圧：3 μV〜300 μV

抵抗値：10〜50 kΩ

③ 筋電計……骨格筋の活動によって生じる電圧の変動を記録する．

周波数：10〜2000 Hz

電　圧：10 μV〜15 mV

抵抗値：1〜70 kΩ

④ 皮膚電気反射測定装置
……精神的な興奮によって生じる発汗作用による電気抵抗の変化，汗腺の活動電位の変化を記録する．これが，嘘発見機とかポリグラフといわれる機械である．

周波数：0.03〜10 Hz
電　圧：300 μV〜6 mV
抵抗値：1〜20 kΩ

⑤ レチノグラフ……網膜電流を観測する装置．
⑥ その他……子宮電図，膀胱尿管電図など．

以上の例からもわかるように，いずれも微弱な電圧のため，記録計の針を振らせたり，ブラウン管の上に描かせるには，増幅率が高く雑音（ノイズ）が低い高性能の増幅機（アンプ，アンプリファイアー）が必要となる．さらに，抵抗値（出力抵抗）が大きいため，信号線のアース線（接地線）をしっかりと接続し，ノイズを周辺から拾うことがないようにしなければならない．

7.9.4 医療器具への応用

電気が持つ色々な性質が医療器具に応用され利用されている．ここでは，いくつかの例を取り上げる．

① 電 気 メ ス……周波数の高い交流が針のように鋭く尖った部分に集まる性質を利用して切開する．普通のメスで切開すると出血するが，電気メスでは，ジュール熱で蛋白質が凝固するため，止血作用があり，出血しにくい．
② 電気マッサージ……筋肉に微弱な電流を周期的に流し，収縮・弛緩を行わせて，病変部の筋肉の弛緩を促す．
③ 電 気 ショック……電流が流れると筋肉が収縮することを利用して，手術などで拍動が停止した心臓の活動を再開させる．この場合，高い電圧（高圧）の電気パルスを心筋に加える．
④ ペースメーカー……心臓の拍動に乱れ（脈拍不良）があるとき，規則正

しい周期的な電気信号を与えて，拍動を整える．
⑤ ホットパック……ニクロム線に電流を流してアンカ状のものを暖め，患部を暖めて筋肉の弛緩，血行を促す．

問7.7 ここに取り上げていない電気を使った医療器具を記し，その動作原理と人体への働きを説明せよ．

7.10 電　　　池

ガルバーニ（L. Galvani；1737～1798）が，解剖したカエルの足に鉄と黄銅の2種の棒をつなぎ合わせたものを接触すると，足にけいれんが起きるのを発見したことが，電池の始まりである．その頃，ボルタ（A. G. A. A. Volta；1745～1827）はカエルの足の代わりに水で濡らした紙を用いても電気が発生することを見出した．この現象は，2種類の金属を接触させたときに生じる接触電気によって説明できる．ボルタはその後，希硫酸（H_2SO_4）の中に銅板と亜鉛板を浸して，この間に電流計をつなぐと銅板から亜鉛板に向かって電流が流れることを発見した．これは**ボルタの電池**（図7.18）といわれ，今日の電池の基本となっている．

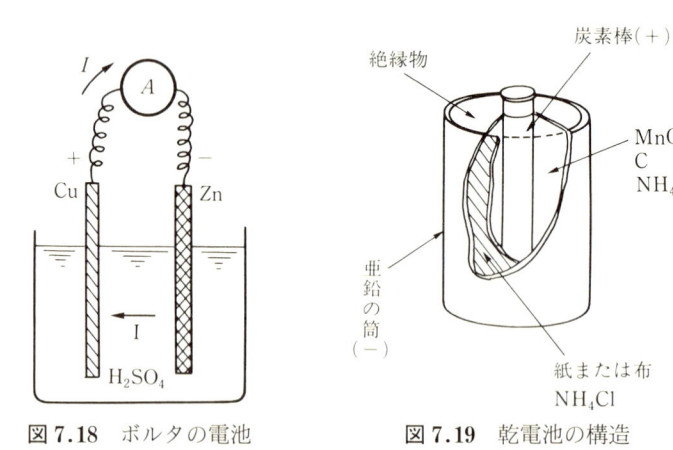

図7.18　ボルタの電池　　　　図7.19　乾電池の構造

乾電池は1888年頃に発明されたといわれている．この電池は，図7.19のように陰極は亜鉛，陽極は炭素棒で，周りに二酸化マンガンと黒鉛と塩化アンモ

ニウムとを混ぜたものを詰め，それを紙や布で縛り亜鉛の筒に入れたものである．亜鉛の内側には塩化アンモニウムの電解液が澱粉糊と混ぜて入れてある．乾電池は電気を使いきると再生使用できない．このような電池を**一次電池**という．

鉛蓄電池は何度でも充電して使用できる電池の代表的なものである．このような充電などによって幾度も使用できる電池を**二次電池**という．鉛蓄電池の陰極は鉛，陽極は酸化鉛，電解液には希硫酸を用いる．この電池の電極での化学反応は次のようになっている．

[陰極（Pb）]

$$Pb \rightarrow Pb^{++} + 2e$$
$$Pb^{++} + SO_4^{--} \rightarrow PbSO_4 \text{（固体）}$$
$$\overline{Pb + SO_4^{--} \rightarrow PbSO_4 + 2e}$$

[陽極（PbO_2）]

$$PbO_2 \text{（固体）} \rightarrow Pb^{4+} + 2O^{--}$$
$$4H^+ + 2O^{--} \rightarrow 2H_2O$$
$$Pb^{4+} + 2e \rightarrow Pb^{++}$$
$$Pb^{++} + SO_4^{--} \rightarrow PbSO_4 \text{（固体）}$$
$$\overline{PbO_2 + 4H^+ + SO_4^{--} + 2e \rightarrow PbSO_4 + 2H_2O}$$

鉛蓄電池は電圧が1.8 V以下にならないうちに充電しないと破壊するので注意が必要である．

そのほか，第二次大戦後に開発されたニッケル‐カドミウム電池，リチウム電池，時計や電卓などに用いる水銀電池，酸化銀電池など小型のものもある．電池の小型化，高性能化は医療の部門に大変役立っていて，体内に埋め込むことができる小型装置の開発に貢献している．

最近注目されている燃料電池は，水に電気を流すと電気分解によって，水が水素と酸素に分解される過程の逆過程であり，基本的には正負の電極の間で水

素を触媒の役割をする電解質の働きで水素と酸素とが結合するとき，電極間でイオンの流れが起こり電流を流すことができることを応用している（図7.20）．これは排出されるものが水なので無公害である特徴がある．電解質には固体高分子膜やリン酸などが用いられ，燃料の水素は天然ガスやアルコールなどから取り出し，酸素は空気から取り込むようになっている．発電効率は30〜40％に達し，アポロ宇宙船にも用いられていた．これからはkWクラスのシステムから携帯電話の電源まで用いられるようになると思われる．

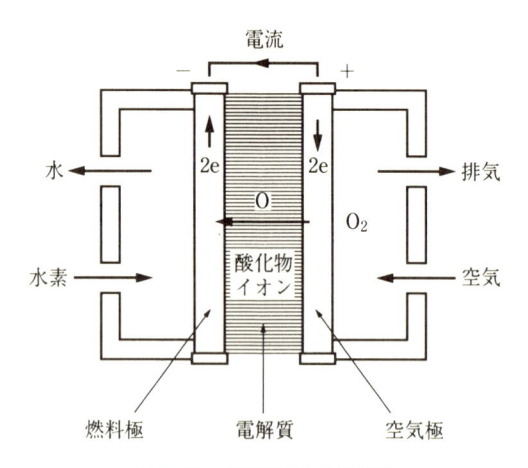

図7.20　燃料電池の構造例

7.11　熱起電力

2種類の金属を接触させると電圧（起電力）が発生する．また，2種類の金属の組合せ方でその起電力は異なっている．さて，その2種類の金属を接触させた部分の温度と他端（基準点）とに温度差を与えると，起電力は温度差に比例して変化する（図7.21）．これを**熱起電力**と呼ぶ．逆に，熱起電力を測定すれば，2種類の金属を接触させた部分の温度が測定できる．このような装置を**熱電対**と呼ぶ．これを用いて測定できる温度は一般に比較的高い温度である．表7.4に熱電対のいくつかの例を掲げておく．

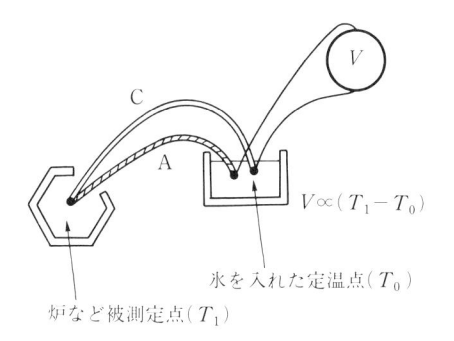

図 7.21 熱電対

表 7.4 熱電対の例

組合せ	記号	温度測定範囲
白金―白金ロジウム	PR	$<1400\ °C$
銅―コンスタンタン	CC	$-200\sim350\ °C$
鉄―コンスタンタン	IC	$<600\ °C$
クロメル―アルメル	CA	$-200\sim1000\ °C$
タングステン―タングステンモリブデン	WM	$<3000\ °C$

この温度計は離れた所で温度を測定できるので便利であるが，起電力の大きさはせいぜい数十 mV なので，正確な測定を行いたいときは，できるだけ電流を流さない工夫を電気回路に施さなければならない．

7.12 圧 電 気

機械的な力（圧力，衝撃）を加えると起電力が発生する物質が存在している．このように，圧力を加えると起電力を発生する物質を**圧電素子**，その起電力を**圧電気**と呼ぶ．

圧電気の起電力が大きい物質としては，ロッシェル塩，チタン酸バリウムが代表的である．圧電気の起電力の方向と，圧力の方向は図 7.21 のように互いに直角になっている．逆に，圧電素子に電圧を加えると，その方向とは直角の方向に伸び縮みを起こす性質を持っている．これを**逆圧電効果**という．

圧電素子は日常生活で用いる器具に広く利用されている．例えば，ガスコン

ロ，瞬間湯沸器，ガスライターなどで，ツマミなどを回すとカチッと音がして点火する．これらは，ツマミに連動したハンマーで圧電素子を叩いて火花を飛ばしている．これら圧電素子の起電力は相当に高く，ガスライターのもので12000 V 以上である．また，レコードプレイヤーのクリスタル型ピックアップも，圧電素子にレコード溝のうねりを針を通して力に変えて加え，電気信号に変化させて取り出している．

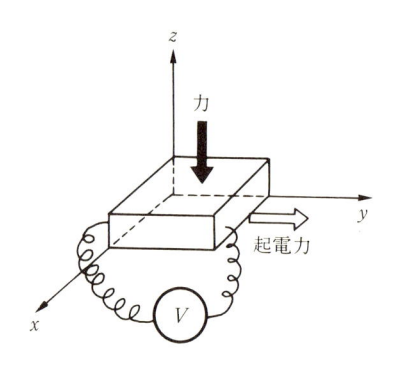

図 7.22 圧電効果

逆圧電効果を応用した装置も広く応用されている．今ではあまり見られなくなったクリスタル型イヤホンは最も身近な物であった．石英の結晶（水晶）に交流電圧を加えると周期的に伸縮する．もし，水晶の機械的な振動数（固有振動数）と交流の周波数が一致（共鳴）するようにすれば，交流振動の周波数をきわめて安定にできる．これでモーターを回すと正確な時計（水晶時計）となる．このような原理を用いた発振器を水晶発振器という．これを小型にして腕時計に組み込んだものを俗に**クオーツ**と呼んでいる．

超音波診断装置の超音波発振器の部分には，逆圧電効果を用いている．すなわち，チタン酸バリウムとか水晶を組み込んで超音波を発生させているものが多い．

7.13 太陽電池

最近では小型電卓などに利用されることが多くなった「太陽電池」は光があれば電気を発生できるので便利である．太陽電池はゲルマニウム，シリコンか

7.13 太陽電池

ら作られている．私達の身の周りにある物質を分類すると次のようになる．

　　絶縁体：木，ゴム，ガラス，プラスチック，水
　　半導体：ゲルマニウム，シリコン
　　導　体：金属（金，銀，銅，アルミニウムなど），炭素，電解液（塩水，
　　　　　　気流酸）

半導体の電気抵抗の値は絶縁体と導体の間に位置している．さて，ゲルマニウムやシリコンにリンや砒素を微量加えると電子が少し余って自由に動き回れるようになる．このようなものを**N型半導体**という．ホウ素やアルミニウムを微量加えると逆に電子が不足した状態となり，電子の抜けた穴（正孔）ができ正の電荷を持つようになる．これを**P型半導体**という．

太陽電池は図7.23のようにシリコンで出来たN型半導体の周りを薄くP型半導体で囲んである．光が当たるとPNの接合部分に電子と電子の抜けた穴（正孔）ができ，電子はN型，正孔はP型の方に集まり大きな起電力が生まれる．光の代わりに放射線を当てても同じように起電力が生じる．これを**原子力電池**という．

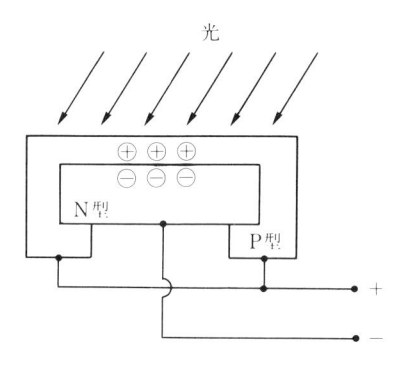

図 7.23　太陽電池の構造

一般に，金属に光を当てるとその表面から電子が出てくる．これを**光電効果**という．この光電効果によって放出される電子のエネルギーは光の波長によって決まり，放出される電子の数は光の強さ（光子の数）に比例している．これは，金属の中にある電子がポテンシャルの壁を越えるだけのエネルギーを持った波長の光からエネルギーを貰い外へ飛び出してくることを意味していて，**外**

部光電効果といわれる．アインシュタインがスイスにいるときにこの研究をした．そして，この研究によってノーベル賞を授賞した．ポテンシャルの壁はアルカリ金属とアルカリ土類金属が低いので，これらを電極に塗布し陰極とすると光電管や光電子増倍管という微弱な光を検出できる装置を製作することができる．

この他に，光の強さに反応する素子としては硫化鉛(CdS)や硫化カドミウム(PbS)がある．これは光の強さに応じて電気抵抗値が変化する性質を持っている．カメラの露出計や室内の照明の明るさを測定する照度計に使用されている．

7.14 磁　　気

永久磁石が鉄を引き寄せる現象，方位磁石が北を指し示す現象は誰でもよく知っている．

方位磁石で北の方角がわかるのは，地球が大きな永久磁石であるという事実を応用している（図7.24参照）．この事実はジンギスカンの時代にはよく知られていて，現代でいう方位磁石を頼りにノルウエーの辺りまで遠征をしたとされている．また，コロンブスがアメリカ大陸を発見したり，マゼランが世界一周を行うことができたのは，正確な時計（クロノグラフ）の発明と羅針盤の発明の両者があって始めて成し遂げられたのである．

なぜ地球が巨大な磁石になっているかは，ハッキリとはわかっていないが，地球内部のマグマの対流運動などの活動によっているといわれている．また，過去に幾度か地磁気の変動があったことが岩石に残された痕跡から推定されている．

さて，1本の棒磁石があるとしよう．一端はN極（＋極），他端はS極（－極）になっている．このような正負一対がペアになっているものを**双極子（ダイポール）**という．いま，この棒磁石を半分に折るとどのようになるだろうか．それぞれの折れた端には図7.25のように再びN極・S極が現れている．次々に半分に折っていっても結果は同じである．このことから，磁気は＋，－が単独では存在できない．ところが，電気は＋，－単独に存在し自由に動くことができた．このような＋，－が単独に存在している状態を**単極子（モノポール）**という．

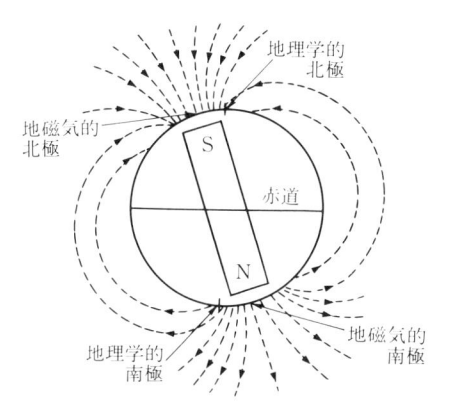

図 7.24 地球の磁場

現在まで，磁気のモノポールを捜す努力がなされているが，見つかってはいない．もし，磁気モノポールが存在していれば電磁気学の分野は相当に書き換えられなければならないだろう．電気と磁気との決定的な違いは「電気にはモノポールが存在するが，磁気にはモノポールが存在しない」ということである．この違いを除けば電気について説明してきたクーロンの法則，電場の考えをそのまま磁場という考えに置き換えて考えられる．

一つの磁石　　　二つに割った磁石　　　三つに割った磁石

図 7.25 磁石を次々と折ってもN，Sだけを取出せない

7.15 磁石に働く力

磁石のN極どうし，S極どうしは退け合い，N極とS極は引き付け合うことは誰でも知っている．このS極，N極（磁極という）に働く力について考えよう．非常に長い棒磁石を考え，他端に影響がないような状態になっている場合を考える．N極，S極の強さを表す量としては，電気の場合に電気量を定義したと同じように，磁気量を定義する．

図7.26のように磁気量 m，M を持った磁極が距離 r を隔てて位置しているとする．この場合，それぞれの磁極に働く力は，

$$F = \frac{1}{4\pi\mu_0}\frac{mM}{r^2}$$

で表せる．これを磁気に関するクーロンの法則という．式の中にある μ は物質の**透磁率**と呼ばれる量であって，物質ごとに固有の値を持つ．もし，真空中であれば透磁率を特に μ_0 と記す習慣になっている．

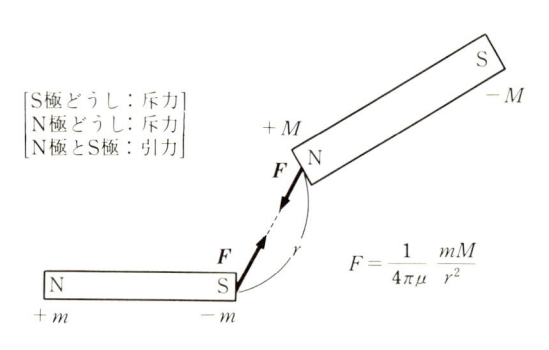

図 7.26 磁極に働くクーロン力

真空の透磁率は

$$\mu_0 = 4\pi \times 10^{-7} \mathrm{N/A^2}$$

である．

また，μ/μ_0 を**比透磁率**という．磁石を近付けるとくっつく物質と，くっつかない物質が存在している．このような磁気に対する性質で物質を分類すると，「強磁性体」，「常磁性体」，「反磁性体」の3つになる．磁気に対する性質と比透磁率との間の関係に注目していくつかの物質について表7.5にまとめる．

磁気量 M が周囲の空間に作る磁場（磁界）H は，電気の場合に電場を考えたと同様に，

$$H = \frac{1}{4\pi\mu}\frac{M}{r^2}$$

で計算できる．磁場の様子を表すには，電気において電気力線を考えたと同様に磁力線を考える．図7.27は $+M$，$-M$ の磁気量を両端に持った棒磁石が，その内部と外部に作る磁力線の様子と向きを表している．磁力線の様子は砂鉄

をまくと容易に見ることができる．磁場 H の中に置かれた磁極（磁気量 m）は

$$F = mH$$

という力を受けることになる．

表 7.5 物質の比透磁率 μ/μ^0（20 ℃ のとき）

	物 質 名	μ/μ_0
常磁性体	Mn Cr O_2 $CuSO_4$	$1+\ \ \ 8.90\ \times 10^{-6}$ $1+\ \ \ 3.17\ \times 10^{-6}$ $1+106.2\ \ \ \times 10^{-6}$ $1+\ \ \ 6.3\ \ \ \times 10^{-6}$
反磁性体	Cu Ge H_2 H_2O	$1-\ \ 0.086\times 10^{-6}$ $1-\ \ 0.12\ \times 10^{-6}$ $1-\ \ 1.97\ \times 10^{-6}$ $1-\ \ 0.720\times 10^{-6}$
強磁性体	Fe 珪 素 鋼 パーマロイ	6000〜8000 40000 1000000

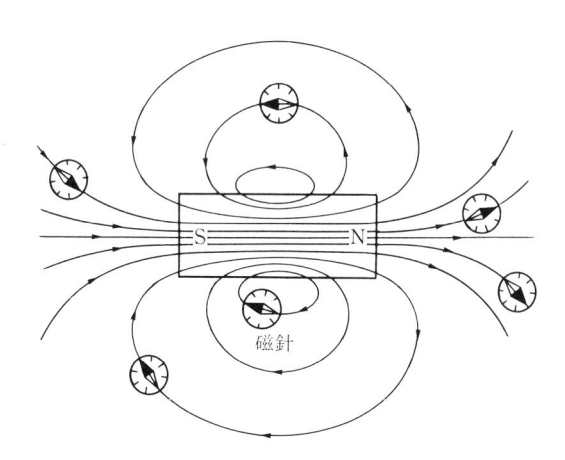

図 7.27 棒磁石の作る磁力線

地球は大きなダイポールなので小さな磁針（方位磁石）で，磁北を見つけることができる．

SI単位系では，磁気量の単位はWb（ウェーバー），磁場の強さを表す単位はN/Wb（ニュートン／ウェーバー）である．

7.16　電流が作る磁場

電気に関する現象と磁気に関する現象とは互いに関係なしに起こることはほとんどないと考えられる．例えば，電荷が移動すれば電流が流れる．電流が流れればその周辺に磁場が作られている．このことは，電流が流れている電線の近くに方位磁石を近づければ指針が振れることで確認できるし，周辺に砂鉄を置けば磁力線の方向に並ぶことでも確認できる．

電流がその周囲の空間に作る磁場について，ビオ（J. B. Biot；1774〜1862）とサバール（F. Savart；1791〜1841）が詳しく研究を行った．それは，「ビオ‐サバールの法則」として知られている．

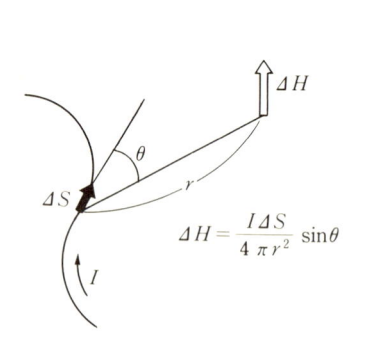

$$\Delta H = \frac{I \Delta S}{4\pi r^2} \sin\theta$$

図7.28　ビオ‐サバールの法則 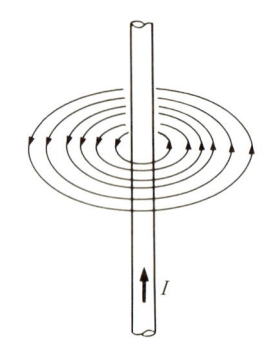　　図7.29　直線電流が作る磁場
（右ネジの法則）

それによると，
「電流Iが流れている道筋の微小区間Δsの部分の電流が距離rの点に作る磁場の強さΔHは電流の強さIに比例し，距離の2乗に反比例する」
ことが明らかにされた．また，その磁場の向きは，電流が流れている向きに右ネジを進めるように回転する向きとなる（図7.28）．ビオ‐サバールの関係を式で表すと

$$\varDelta H = \frac{I \cdot \varDelta s}{4\pi r^2} \sin\theta$$

となる．この式に基づくと，無限に長い直線状の電流 I が距離 r の位置に作る磁場の強さ H は

$$H = \frac{I}{2\pi r}$$

となり，その形は同心円状になる（図 7.29）．

この現象を応用して様々な電磁石が作られている．小さな物では，テープレコーダー，ビデオレコーダーやフロッピーディスクの記録用ヘッド，大きな物では NMR 診断装置の磁場発生装置などに組み込まれている．

★ **NMR**（核磁気共鳴；Nuclear Magnetic Resonance）★

NMR は 1946 年に発見された物理現象である．その原理は，強力な磁場中に電荷を持ったイオンが存在すると磁力線の周りで円運動を行う．外部から電波を入射すると特定の原子核がその電波に共鳴して自ら電波を放射する．この周波数は磁場の強さと原子核の種類で決まっている．例えば，1 T（テスラ，磁束密度の単位）の磁場では水素で 42.58 MHz となる．

MRI（磁気共鳴映像；Magnetic Resonance Imaging）は NMR の原理を応用し，磁場中に人体を置き，電波で人体の様々な方向からの断面を画像として得ることによって病変部を診断する．医療では水素の信号を調べる．その理由は人間の体内に多量に存在し，強い信号を放射し，医学的に意味があるからである．

CT（X線コンピュータ断層装置；computed tomography）は放射線を使用するため被曝の心配があるが，MRI はラジオ波のためその心配がない．

MRI 室には磁石に引き寄せられるヘアークリップなどの金属類，記憶が消去されるためにプリペイドカードなどの磁気カード，磁気の影響を受けやすいペースメーカーなどを持ち込んではならない．

最近では，非常に精細な血管像（MRA）が得られるようになるなど診断範囲が広くなっている．

7.17 電流が磁場から受ける力

物体を摩擦し帯電させて，磁石に近付けても何も力を受けない．磁石をテレビのブラウン管面に近付けると画面が歪み，色が変わる*．テレビの画面はブラウン管内のヒーター部からの電子（熱電子）を電子銃で加速し，偏向コイルで画面を描かせている．したがって，磁場は運動している電子（電子ビーム，電流）に力を及ぼすことが理解できる．

磁場の中に置かれた電流が受ける力は，電流の方向，強さに関係している．磁場，電流，力の互いの向きについての関係は「フレミングの左手の法則」で表すと便利である（図 7.30）．

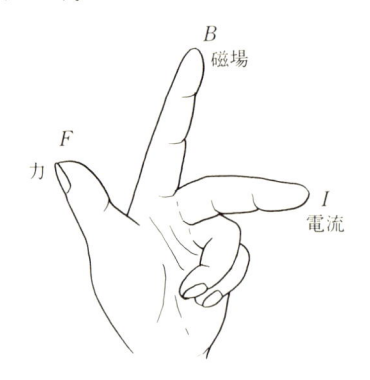

図 7.30 フレミングの左手の法則

ここで電気力線，磁力線の密度についてふれておく．電気力線の密度 D，磁力線の密度 B の定義は，

$$D = \varepsilon E \quad （電束密度），\quad B = \mu H \quad （磁束密度）$$

である．

フレミングの左手の法則は電流が磁場から受ける力の定性的な説明である．この関係を定量的に表そう．磁場 H の中を電流 I が互いに θ の角度で流れている．電流の長さ L の部分が磁場から受ける力 F は

$$F = \mu ILH \sin\theta = ILB \sin\theta$$

---

* カラーテレビの画面に磁石を近付けないこと．シャドーマスクが磁気を帯びて異常になる．

で計算できる（図7.31）．

ここで，2本の電線が間隔 a で平行に置かれ，それぞれの電線に I_1，I_2 の電流が流れているとき，互いの電線に働く力を求めてみよう．単位長さの電流 I_1 が距離 a だけ離れた電流 I_2 の位置に作る磁場は

$$H = \frac{I_1}{2\pi a}$$

である．この磁場 H が単位長さの電流 I_2 に及ぼす力 F は，

$$F = \mu I_2 H \sin 90° = \frac{\mu I_1 I_2}{2\pi a}$$

となる．また，電流 I_2 が電流 I_1 に及ぼす力は，作用・反作用の関係からも，大きさが等しく向きが逆方向である．このことから，

1) 2つの電流の向きが同方向ならば $F<0$ となり，互いに引き合う．
2) 2つの電流が互いに逆方向ならば $F>0$ となり，互いに反発し合う．

ということがわかる．

電線ではなく，電子やイオンの流れに対してもこの関係は同様に成り立っている．テレビやブラウン管オシロスコープでヒーターから取り出した電子をビーム状に集め，ブラウン管面を左から右，上から下へと走査し，絵や心電図を描くにもこの原理を応用している．

身近な応用機器としては，モーターがその代表であろう．ミシン，揚水ポンプ，電車，テープレコーダー，時計，歯科医で歯を削る時に使うドリル，扇風機など，モーターを組み込んだ機器は非常に多い．

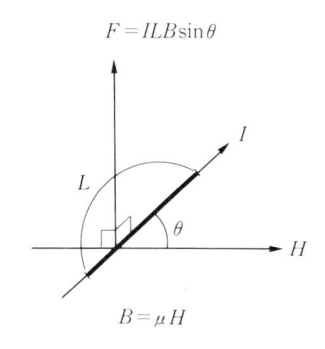

図 7.31 電流が受ける力

問 7.8 ニクロム線ヒーターを使用した電気コンロやストーブが，スイッチを入れて電流を流し始めたとき，ブーンという音を出す理由を説明せよ．また，ヒーターが十分に赤くなったら音がしなくなるのはなぜか．
　　　　ヒント：バネの振動，2本の電線の間に働く力

問 7.9 高圧送電線の鉄塔近くに行くとブーンという音が聞こえる理由を説明せよ．

7.18 電磁誘導

7.18.1 誘導起電力

ここまでの説明で，電流が引き起こす磁気に関する現象を考えた．ここでは，磁気が引き起こす電気に関係する現象を考える．これは，前節の逆の過程（逆過程）である．一般に自然科学で起こる現象には，一部の例外を除いて，その逆過程が存在するのが普通である．では，磁場に何らかの操作を行えば電流を発生できるだろうか．

このような問題について研究を行い，大きな成果を挙げたのはファラデー（M. Faraday；1791〜1867）であった．彼は優れた実験家であり観察者であり，多方面の分野で活躍した．1824年以来，実験を続け，遂に，鉄の輪の2箇所に導線のコイルを巻いて，一方のコイルの電流を流したり切ったりすると，他方のコイルに電流が流れることを発見した．これが「電磁誘導」といわれる現象である．電磁誘導によって発生した電気を**誘導起電力**と呼ぶ．

7.18.2 電磁誘導の法則

電磁誘導に関する法則をまとめると次のようである．

(1) **レンツの法則**　電磁誘導によって生じる誘導起電力の方向は，磁場の変化を妨げる方向に電流が流れる．

(2) **ファラデーの法則**　磁場が時間的に変化するか，磁場中を導線（コイル）が運動すれば，誘導起電力が発生する．その，誘導起電力の強さ E は磁束 Φ の変化量に比例する．すなわち，

$$E = -\frac{d\Phi}{dt}$$

ここで磁束とは，単位面積を通る磁力線の数（磁束密度 B）にコイル等の面積 S を掛けた量である．すなわち，$\Phi = BS$ である．また，単位はウエーバー（Wb）である．

レンツの法則で述べられている事柄を図7.32で説明する．

図7.32(a)のように，円形のコイルに長い棒磁石のN極を遠くから近付ける．最初コイルの中には磁場は存在していなかった．N極が近付くと磁場が現れる．しかし，この磁場を打ち消すようにコイルに電流を流そうとする．別

(a) 近付ける　　(b) 遠ざける

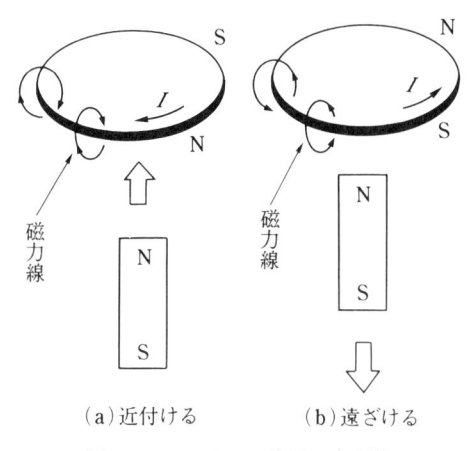

図 7.32　コイルに生じる起電力

の見方をすれば，N極を斥けるようにコイルのN極が近付く側にN極を発生するようにコイルに電流が流れる．このため，図の矢印で示した方向に電流が流れ起電力が発生する．

図7.32(b)のようにコイルから棒磁石のN極が遠ざかっていくときは，コイルにはN極が遠ざかるのを引き戻すためにはS極を作るように電流が流れる．したがって，電流の向きは矢印のように，近付いてくる場合と逆方向に電流が流れる．

レンツの法則で導かれる磁場の方向，運動の方向，起電力の方向の関係を表す便利な方法は**フレミングの右手の法則**である．

図7.33のように，右手の指を

 人差指……磁場の方向 (B)

 親　指……運動の方向 (V)

 中　指……起電力の方向 (I)

となるように向ければ容易に起電力の方向を知ることができる．

ファラデーの法則を用いると起電力の大きさを求めることができる．

一様な磁場（磁束密度 B）の中に，図7.34のように，コの字型の導線を置き，その上を直線状の導線を滑らせる場合の起電力を求めてみよう．コの字型

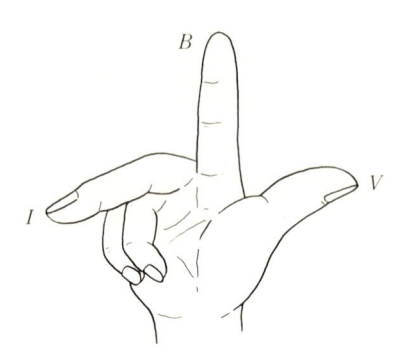

図 7.33 フレミングの右手の法則

にまたがる導線の長さを L，速度を V，透磁率を μ とすると，導線が単位時間あたりに掃引する面積は VL となる．したがって，単位時間あたりの磁束の変化 $d\Phi/dt$ は μVLH に等しくなる．ファラデーの法則から，起電力（誘導起電力）E は，

$$E = -\frac{d\Phi}{dt} = -\mu VLH$$

で求めることができる．

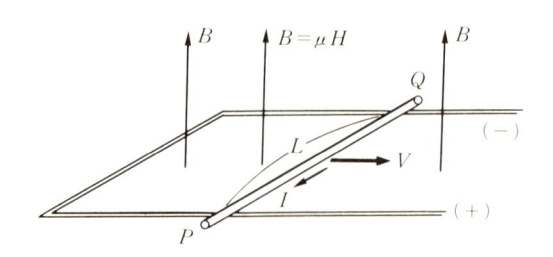

図 7.34 導線に生じる起電力

2つのコイルを重ねて，一方のコイルに交流電流を流すと，他方のコイルに起電力を発生できることが，ファラデーの法則およびレンツの法則からわかる．このような現象を**電磁誘導**といい，変圧器（トランスフォーマー）の動作原理となっている．

問 7.10　図 7.32 のコイル中を，棒磁石を鉛直状態で上から下へ落下させたときの起電力の変化する様子をグラフで表せ．

問 7.11　翼の端から端までの長さが 30 m のジェット機が時速 720 km で，磁束密度が $B = 1.0 \times 10^{-4}$ Wb/m^2 の中を飛行しているとき，翼の両端の電位差がいくらになるか求めよ．

ファラデー（Michael Faraday；1791〜1867）

　　　　　　ロンドン郊外の貧しい鍛冶屋の 10 人兄弟の 1 人として生まれ，家族とともにロンドンに出たが，学校へいくことはできなかった．そのため彼は数学を知らなかった．製本所に徒弟奉公に行って大いに本を読んだ．そして，21 歳のときに王立科学研究所のディヴィーの助手となったが，やがてその実力はディヴィーをしのぐものとなり，31 歳で研究所の実験所長になり，終生在籍した．1833 年には科学教授に任命された．

初期の研究として，塩素の液化，ベンゼンの発見などがあるがあるが，その後，電磁気学の研究に没頭した．電磁誘導現象の発見，電気分解のファラデーの法則，自己誘導現象，静電誘導，反磁性など数多くの発見を行った．これらの説明のために電気力線，磁力線を考えて近接作用論を作りあげ，「場」の考えを物理学に初めて導入して，マクスウェルの電磁場理論への道をひらいた．

7.19　電磁誘導の応用

　電磁誘導の法則を応用している電気器具は，私達の周囲を見回すだけで，1 つ 2 つは必ず見つけることができる．いくつもある中で代表的なものは，変圧器（トランス，トランスフォーマー），テープレコーダー・ビデオレコーダーのヘッド，レコードプレイアーのカートリッジ，自転車の発電器であろう．これらのいくつかについて説明する．

7.19.1　変　圧　器

　交流電圧を上げたり，下げたりする役割をするために使用される．変電所にある大型のものから，ポータブルラジオなどの中にある小型のものまであるが，動作原理は全く同じである．構造は鉄芯の周りに 2 つのコイルを巻くのを

基本としている（図7.35）．一方のコイル（1次側）に電流を流すと他方のコイル（2次側）から電圧の異なった交流を取り出すことができる．1次側のコイルの巻数を n_1，入力電圧を V_1，電流を I_1，2次側のコイルの巻数を n_2，出力電圧を V_2，電流を I_2 とすると，これらの間には，

$$\frac{V_1}{V_2} = \frac{n_1}{n_2}$$

という関係が成り立っている．

さらに，入力した電力（エネルギー）以上の電力は，エネルギー保存という関係から，2次側から取り出すことができない．すなわち，

$$V_1 I_1 \geqq V_2 I_2$$

という関係が成り立つ（等号はトランスによる損失がないとき）．

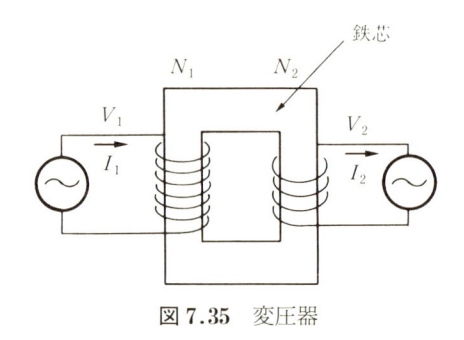

図 7.35 変圧器

7.19.2 再生ヘッド

カセットテープなどに録音（録画）された音や絵はどのようにして取り出され，再生されるのだろうか．録音されたテープは図7.36に示すように，N極とS極が連なった状態になっている．この上を再生ヘッドが走行すると，電磁誘導によりヘッドに巻かれたコイルに音声信号に応じた起電力が発生し，もとの音が再生される．

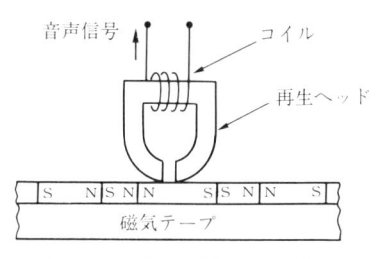

図 7.36 音が再生される様子

7.19.3 発電器
動作はモーターの原理と完全に逆となっている．磁場の中を，コイルが動くと誘導起電力が生じる．

実　験
1) 乾電池で回る小型の模型用直流モーターを用い，電極に豆球を接続してモーターの回転軸を手で回して見よ！
2) 自転車の発電器は外側に固定されたコイルの中で磁石が回転する構造になっている．ゆっくり走ると暗いが，速く走れば明るくなる．その理由について考えて見よ！

7.20　電　波

コイルとコンデンサーを図 7.37 のように組み立てると，コンデンサーに蓄えられている電気エネルギーはコイルに流れる．コイルに蓄えられた電気エネルギーは，コンデンサーに電気を蓄えるようになる．このように，コイルとコンデンサーの間で電気エネルギーは往復運動を行い，振動電流が流れる．このような回路を**共振回路**と呼ぶ．このときの振動周波数 N は，

$$N = \frac{1}{2\pi\sqrt{LC}}$$

で与えられる．ここで，L はコイルのインダクタンスという．

このような回路から，電気振動が外部空間へ伝播していくものが電波である．したがって，電波は電場の振動とそれに伴う磁場の振動が波（横波，電磁

波）となって空間を進んでいく．真空中では電波の速度は，

$$c = \frac{1}{\sqrt{\varepsilon_0 \mu_0}} = 3.0 \times 10^8 \, \text{m/s}$$

であり，光の速度と一致している．

　電波は放送（AM，FM，TV）に利用され広く生活に役立っている．また，周波数の高い電波（マイクロ波）をレーザー光のように放射し，その反射電波が戻ってくる時間と強さで，広い範囲の雲や雨，船舶の位置を調べるレーダー，食品に含まれている水の分子の振動数と共鳴するようなマイクロ波（約 2.5 GHz）を照射し煮炊きする電子レンジ（マイクロウェーブオーブン），海を隔てた海外との電話・テレビのやり取り，携帯電話，衛星放送など，電波を使用している装置は非常に多くある．

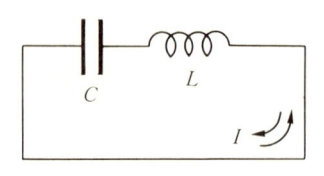

図 7.37　LC 共振回路

　NMR 診断装置は，磁場中で電子やイオンが円運動（サイクロトロン運動）をするときの周期と外部からの電波の周波数とが共鳴することによって，体内の組織の様子を診断する装置である．

　電波は公共のものである．したがって，勝手に電波を放射するとラジオやテレビに障害がでるなどの迷惑がかかる．また，電波は目には見えないだけに危険な側面もある．例えば，電子レンジの電波が外部に漏れて長時間眼に当たると，眼球が白濁し失明する恐れもある．

　また，強力な電磁波は人体に影響を与えることが考えられる．中でも，携帯電話はペースメーカーや医療器具の近くでは，その動作に影響を与えることが考えられるので，病院内では使用が禁止されている．

7.21　電気・磁気に関する実験

　本章の最後に，電気・磁気に関する実験のいくつかを図示しておく．

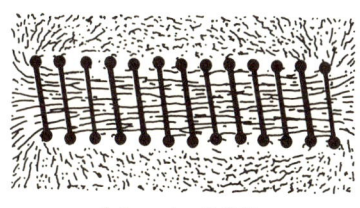

7.21 電気・磁気に関する実験

(a) コイル状導線

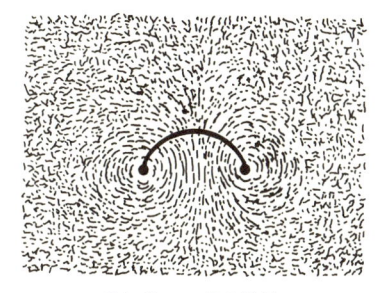

(b) 単一の環状導線

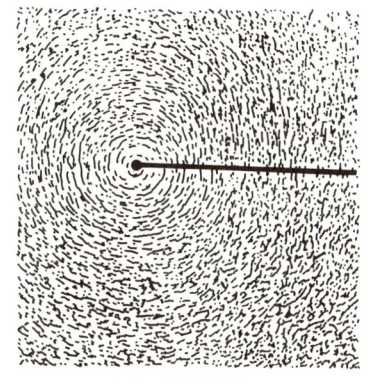

(c) 直線状導線

図 7.38 鉄粉がつくる磁場の模様

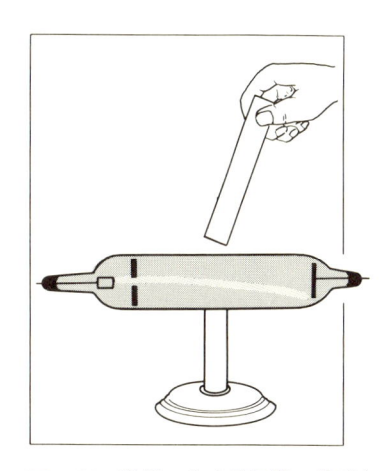

図 7.39 磁場による電子線の曲がり

図 7.40 反対の電荷を持つ円筒と板で作られる電場の様子

8 章
原子物理学

　地球上の物質のどれを見ても，色々な原子が組み合わされて構成されている．それぞれの原子について，その質量や化学的な性質などに基づいて，同じ性質を持つ原子を同一グループに入れるというような配列表を作ると，周期表いう表が出来上がる．幾人もの研究者がこの表を作ることに取り組んだが，メンデレーフ（I. D. Mendeleev；1834～1907）が発表したものを基礎とした表が現在も使われている（付録参照）．この表によると，物質の化学反応，原子内部の構造，それに基づくスペクトルなど原子の物理学的性質・化学的性質を推定し理解するのに役立っている．

　地球上の物質も宇宙空間にある物質も同じ原子から成り立っている．原子や分子は互いに反応し合って，天然の物質でもその姿を変えていくが，原子は永遠に不変であると思われていた．ところが，1896年にベクレル（A. H. Becquerel；1852～1908）によって，ウランが写真乾板を感光させる現象が発見されたことをきっかけとして，放射能が発見された．その後，キュリー夫人（M. S. Curie；1867～1934）によって，ラジウムという大変放射能が強い元素が発見された．これによって，原子番号84のポロニウムより重い原子はすべて放射能を出す放射性元素であることがわかった．

　これらの事実は，不変であると思われていた原子もまた，長い年月の間には別の原子に変わっていくということを示している．この現象を調べる目的からも，原子そのものの構造についての研究が始まった．これが原子物理学の始まりであった．この章では，医療の現場に関係するいくつかの現象と原子物理学の基礎的事柄について述べる．

キュリー夫人（Marie Sklodowska Curie；1867〜1934）

　パリにあるソルボンヌ大学に入学し，クラス中一番の成績で卒業した．在学中は極度に質素な生活を続けた．1894年にフランスの化学者でピエゾ電気の発見をして有名になっていたピエール・キュリーと知り合い結婚をした．ピエゾ電気を放射能測定に応用し，長年の血のにじむ努力の末，1898年に2人共同でウランの数百倍の放射能を持つ粉末の抽出に成功し，夫人の故国にちなみポロニウムと名付けた．しかし，鉱石の強力な放射能をこれのみでは説明できなかった．追求の結果，ついに強力な放射能を持つラジウムの発見に至った．

　そして，1903年マリー・キュリーは博士論文を書き，ピエール・キュリー，ベクレルとともにノーベル賞を受賞した．1906年に夫のピエールが交通事故で死亡した後を継いで，ソルボンヌ大学始まって以来の女性教授となった．1911年には2つの新元素の発見によってノーベル化学賞を受けた．1人で2回のノーベル賞を受賞したのはキュリー夫人だけである．晩年にはパリのラジウム研究所の所長となったが，長い間，放射線を浴びたため白血病となりこの世を去った．

8.1　原子の構造

　自然界にある物質はすべて原子からできている．ところが，原子は不変ではなく，別の原子に変わっていくことが，放射性元素が存在することが知られて以来わかってきた．原子が出すスペクトルは原子に固有であり，周期表において同族の原子は似た型のスペクトルを出す．このような事柄を手がかりに，原子内部の構造が研究された．

　原子の周りには，あたかも太陽系のごとく，電子が回っているモデル（模型）が長岡‐ラザフォードによって提唱された．このモデルでは，太陽に相当する所に原子核と呼ばれるものが存在している．放射性元素が，ある種の原子などを出して，別の原子に変わっていくことから，原子核も構造を持っていると考えられた．そして，種々の研究の結果，原子核は陽子と中性子で成り立っていることがわかった（図8.1）．

8.1 原子の構造

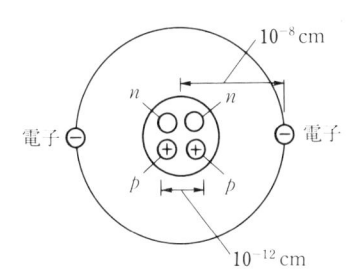

図 8.1 ヘリウム原子の構造

原子の直径は〜2×10^{-8}cm，原子核の直径は 10^{-12}cm 程度で非常に小さい．このように狭い領域に陽子，中性子，電子などを閉じこめることができる力はどのようなものであろうか．

万有引力であるとすれば，

$$F = -\frac{GmM}{r^2}$$

で表される．また，電気力（クーロンの力）であるとすれば，

$$F = \frac{1}{4\pi\varepsilon_0}\frac{qQ}{r^2}$$

で表される．さて，電子，陽子，中性子などの諸量は次のような値である．

　　　万有引力定数： $G = 6.67 \times 10^{-11}$ N・m^2/kg^2
　　　電子の質量： $m_e = 9.109 \times 10^{-31}$ kg
　　　陽子の質量： $m_p = 1.673 \times 10^{-27}$ kg
　　　中性子の質量： $m_n = 1.675 \times 10^{-27}$ kg
　　　電子の電気量： $q = 1.602 \times 10^{-19}$ C
　　　陽子の電気量： $Q = 1.602 \times 10^{-19}$ C

これらの値を用いて，力を計算してみると，万有引力に比べクーロンの力の方が 10^{39} 倍も大きい．これは，原子核の内部を考えると大変困ったことである．なぜなら，ヘリウムより重い原子の原子核はいくつかの陽子と中性子からできていて，陽子は＋の電気を持っている．したがって，万有引力では陽子などを原子核内に閉じ込められないで，バラバラになってしまう．湯川秀樹の研究によると，10^{-12}cm より近い距離では「核力」が働き，電気力よりはるかに

強い力のため核内に陽子・中性子を閉じ込めておくことができることがわかった．この核力を生む仲立ちをする粒子が中間子である．

8.2 原子核の安定性

数多くの陽子と中性子が組み合わされて原子核を構成するとき，安定な組み合わせと不安定な組み合わせが現れる．一般に，質量数が40以下では，陽子の数と中性子の数がほぼ同じでないものは不安定で，自然に壊れてより安定な原子核になろうとする．質量数が多くなってくると，中性子の数が陽子より多くならないと安定にならない．これは，陽子の数が多くなってくると，電気力による斥力が大きくなり，核力による引力を強くするためには，より多くの中性子を必要とするためである．なお，陽子，中性子などを**核子**という．

天然に存在する原子の陽子数と中性子数を調べると，陽子数と中性子数がともに偶数の原子核は安定である，という事実が見出される．これは，**対効果**と呼ばれているが，理由ははっきりしていない．

以上の事柄を，エネルギーという見地から考えてみよう．例えば，炭素（^{12}C）は6個の陽子と6個の中性子から核はできている．中性子6個と陽子6個の質量の合計 m は

$$m = 6\,m_n + 6\,m_p = 2.00856 \times 10^{-26}\,\mathrm{kg}$$

であり，炭素1個の質量は

$$m_c = 1.99267 \times 10^{-26}\,\mathrm{kg}$$

なので，

$$\Delta m = m - m_c = 1.589 \times 10^{-28}\,\mathrm{kg}$$

と，陽子と中性子がバラバラのときに比べて Δm だけ質量が軽くなっている．これは，陽子と中性子を核内に閉じ込めておくために必要なエネルギーであると考えられ，**質量欠損**という．これは，アインシュタインの相対性理論によると，静止質量を m_0，速度 v で運動しているときの質量を m，光速度を c とすると，

$$m = \frac{m_0}{\sqrt{1-(v/c)^2}}$$

という関係式がある．これから，$1/\sqrt{1-(v/c)^2} \approx 1 + (v/c)^2/2$ より

8.2 原子核の安定性

$$mc^2 = m_0 c^2 + \frac{m_0 v^2}{2}$$

ゆえに，

$$\Delta mc^2 = \frac{m_0 v^2}{2}$$

という関係が導かれる．右辺は運動エネルギーであったので，mc^2 という項もエネルギーの単位である．したがって，

$$E = mc^2$$

という「質量とエネルギーは同等である」というアインシュタインの有名な公式が導かれる．以上のことから，原子核内に陽子，中性子が閉じ込めておくにはそれなりのエネルギーを必要とし，それを質量欠損によってまかなっていると考えられる．

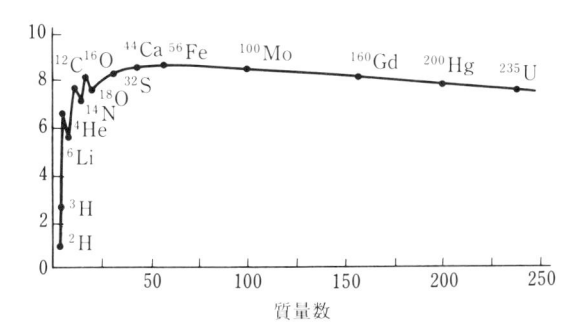

図 8.2 核子あたりの結合エネルギー―質量欠損―

図 8.2 に示す質量欠損のグラフからわかるように，水素など軽い原子を幾つかくっつけて重い原子を作る（核融合）とエネルギーを取り出せるし，ウラニウムのような重い原子を 2 つ以上に分割（核分裂）してもエネルギーが取り出せることが理解できる．また，質量数 20 以上になると結合エネルギーが 8 MeV（ミリオンエレクトロンボルト）程度で平になっていることに注目しよう．

（**注**）原子，原子核の分野ではエネルギーの単位に eV（エレクトロンボルト，電子ボルトともいう）を使う．

$1\,\text{eV} = 1.602 \times 10^{-12} \text{erg}$　　$1\,\text{MeV} = $ 百万 eV

8.3 放射線の正体

ラジウムを鉛で作った容器に入れ，上に穴を開ける．その上方にN極とS極を置き磁場を作る．さらに，上方に磁場の方向と平行にフィルムを置くと，3ヶ所が感光するのが認められる（図8.3）．磁場で運動方向が曲がるのは粒子が電気を帯びている証拠であるが，曲がり方から，薄い金属板を置くと透過しなくなる放射線は−の電気を持ち，紙一枚で透過しなくなる放射線は＋の電気を持っていることがわかる．前者を β（ベータ）線，後者を，α（アルファ）線と呼ぶ．β 線は電子，α 線はヘリウムの原子核である．磁場で曲がらない放射線は，γ（ガンマ）線と呼ばれ，厚い鉛の板でやっと透過するのを止めることができる．γ 線は波長がきわめて短い電磁波である．

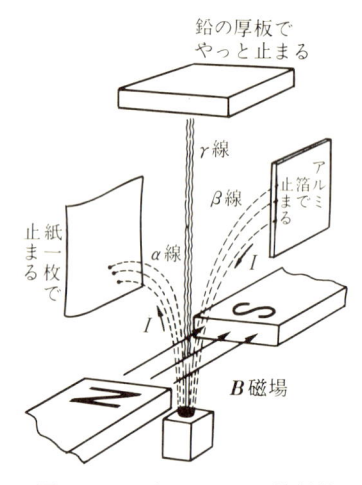

図 8.3 ラジウムからの放射線

ラジウムは絶えず放射線を出して別の物質に変わっていくため，時間と共にラジウムの量は少なくなっていく．このことから，一定の時間が経過すれば，現在のラジウムの量の丁度半分になる．このように，もとの量の半分になる時間を「半減期」といい，放射性物質固有の量である．半減期という概念は平均寿命の考え方と同じで，1個の放射性元素が，半減期だけ時間が経過したときに存在する確率が 50％であるということを意味している．表 8.1 にいくつかの放射性物質の半減期を掲げる．

表 8.1 放射性元素の半減期 (τ)

自然放射性同位体		人工放射性同位体	
元 素 名	半 減 期	元 素 名	半 減 期
ウ ラ ン 238	4.51×10^9 年	三 重 水 素	12.262 年
ウ ラ ン 235	7.13×10^8 年	炭 素 14	5730 年
ト リ ウ ム 232	1.41×10^{10} 年	リ ン 32	14.28 日
ト リ ウ ム 231	25.52 時間	カ ル シ ウ ム 45	165 日
ラ ド ン	3825 日	コ バ ル ト 60	5263 年
ラ ジ ウ ム 226	1622 年	ス ト ロ ン チ ウ ム 90	27.7 年
ラ ジ ウ ム A	3.05 分	プ ル ト ニ ウ ム 239	2.44×10^4 年
ト リ ウ ム A	0.158 秒	ヨ ウ 素 131	8.05 日
ト リ ウ ム C	60.5 分	キ ュ リ ウ ム 244	17.6 年

★**半減期の数学的表現**★

放射性原子核の崩壊定数(1秒間に崩壊する確率)をσとすれば,はじめにN_0個あった放射性原子核は,

$$\frac{dN}{dt} = -\sigma N$$

で与えられる.この式の解は$N = N_0 \exp(-\sigma t)$となり,一定の時間Tが経過すれば,その数はと半減する.この$T = (\ln 2)/\sigma$を半減期という.

8.4 放射性元素の崩壊

　放射性元素は,α線,β線,γ線を放射して,別の元素に変化していく.この変化の過程で出るこれら3つの放射線が人体・植物などに当たると様々な作用を及ぼすので,これらを一括して**放射能**と一般に呼んでいる.

　α線を出して元素が崩壊する過程を**α崩壊**,β線を出して崩壊する過程を**β崩壊**と呼ぶ.α線としてヘリウムの原子核,β線として電子が原子の内部から飛び出した後,残された原子核の内部で陽子と中性子が並び方を変えて,より安定になろうとして余分のエネルギーを,γ線として外部に放出する.

　ラジウム(^{88}Ra,質量数226)を例にとり,α崩壊について考えてみる(図8.4).α線はヘリウム(^{4}He)の原子核なので,陽子2個と中性子2個が原子

核から一度に飛び出している．Rd の原子核は，陽子 88 個と中性子 138 個の合計 226 個の核子からできている．陽子 2 個が出るので原子番号は 2 減って，86 番の原子核になる．また，中性子が 2 個出るので，残りの中性子数は 136 個となり，質量数は 4 減少して 222 となる．原子番号 86 の原子はラドン（^{86}Rn）で常温では気体である．なぜ，中性子 2 個と陽子 2 個の α 線だけでなく，別の大きさの核が出てこないのだろうか．それは，中性子 2 個と陽子 2 個が特に強い結合をしていて，これが複数個集まって原子核が構成されているためである．α 線を出した後，残った陽子と中性子が集合のやり直しをし，余ったエネルギーに相当するだけ γ 線の形で外部に逃がす．

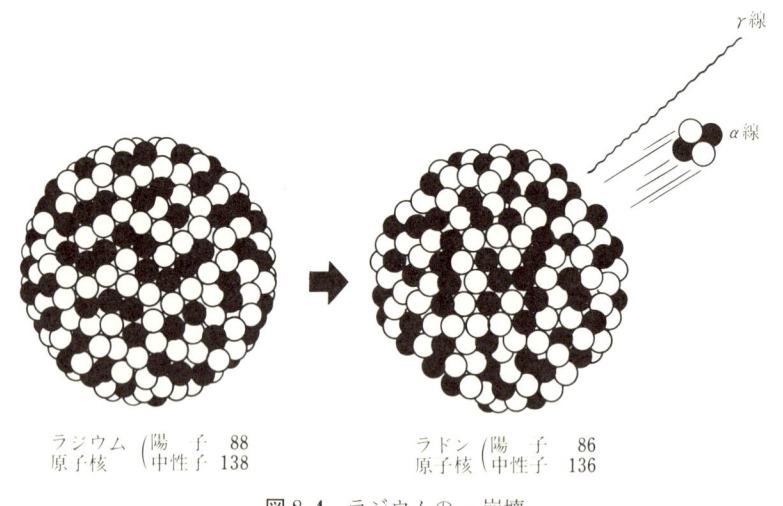

ラジウム原子核 (陽子 88 / 中性子 138) → ラドン原子核 (陽子 86 / 中性子 136) ， α 線， γ 線

図 8.4　ラジウムの α 崩壊

次に，β 崩壊について考えよう．ラジウムは α 崩壊しかしないので，トリウムを例にとる．トリウム（^{90}Th）は陽子 90 個，中性子 144 個から原子核が構成されている．原子核から β 線を 1 個出して崩壊する．β 線は電子なので，核からマイナスの電気が 1 個減ったことになる．核からマイナスの電気を出すためには，核内の中性子が陽子に変化することを意味している．したがって，原子番号が 1 だけ増して 91 番のプロトアクティニウム（^{91}Pa）になる．

トリウム，ラジウムはウラン 238（^{92}U）を親の原子核として，崩壊の過程で生まれる核である．その崩壊過程を記すと，

$^{92}U_{238}$ → $^{90}Th_{234}$ → $^{91}Pa_{234}$ → $^{92}U_{234}$ → $^{90}Th_{230}$ → $^{88}Ra_{226}$ →
$^{86}Rn_{222}$ → $^{84}Po_{218}$ → $^{82}Pb_{214}$ → $^{83}Bi_{214}$ → $^{84}Po_{214}$ → $^{82}Pb_{210}$ →
$^{83}Bi_{210}$ → $^{84}Po_{210}$ → $^{82}Pb_{206}$ (安定な元素)

最終的にできる $^{82}Pb_{206}$ は放射性元素ではなく安定であり,鉛の同位元素である.元素記号の前後の数字は,

$$_{[原子番号]}[元素記号]_{[質量数]}$$

という表現法である*.

8.5 放射線による障害

　放射線（放射能）による障害を最初に受けた人は，おそらく，ウラン（ウラニウム）の放射能を発見したベクレルであろう．キュリー夫人も障害を受けた1人である．これらは，放射能を出す物質を扱う研究者である．一方，何も知らないうちに，原爆によって多量の放射能を浴びせられ被害を受けたのは広島と長崎の被爆者達である．また，近年では，チェルノブイリの原子炉の暴走事故によって広い範囲の人々が放射能を浴び，住み慣れた土地を追われた．これら多くの人々は，特に広島・長崎の原爆による被爆者達は50年以上も経った今もなお様々な放射能による障害に苦しんでいる．これらの事柄は，放射能の被害がいかに恐ろしく凄惨なものかを教えてくれている．

　α線，β線，γ線など，放射線は人体内に入って，そのエネルギーの一部または全部を体内の臓器，血液，皮膚，遺伝子などを造っている部位の原子に影響を与え破壊する．放射線を浴びるとどのような障害があるか，表8.2にまとめる．

---

* $^{[質量数]}_{[原子番号]}[元素記号]$ という表現法が用いられることも多い．

表 8.2 放射線障害

		症 状 ・ 内 容
急性障害	全身障害	悪心，吐き気，食欲不振，頭痛，全身倦怠［重症時：おう吐，下痢，出血，致死］
	皮膚障害	紅斑，脱毛，水泡，潰瘍［これらが慢性障害となることもある］
	血液障害	白血球・リンパ球・血小板の減少，貧血
	生殖器障害	一次的無精子，不妊
慢性障害	皮膚障害	脱毛，毛細血管の拡張，乾燥角質化，指紋の消失
	血液障害	慢性的白血球減少，再生不能性貧血，白血病
	生殖器障害	不妊，授精卵の異常
遅発障害		癌，皮膚癌，白血病
遺伝障害		突然変異

なお，これらは，広島・長崎での原爆投下で犠牲になった多くの人々からのデータであることを心に銘じておくべきであろう．

8.6 色々な放射線

放射線といった場合，様々な種類のものを含んでいる．それらをまとめると，表8.3のようになる．

表 8.3 放射線の種類

	名　　称	正　　体
粒子	α 線	He の原子核
	β 線	電子
	中性子線	中性子
	陽子線	陽子（H の原子核）
	宇宙線	H から Fe までの原子核
電磁波	γ 線	可視光線と同じ波動
	X 線	〃

人間は有史以来，毎日，放射能（天然放射能）を受けて暮らしている．長い地球の歴史においては，放射能が動物や植物の進化と突然変異に係わっていたかもしれない．これら，天然にある放射線は，太陽をはじめとして，宇宙空間から降り注ぐ宇宙線とか，地球上にある天然放射性元素から出てくるα線・β線・γ線である．これらを，**バックグラウンド放射線**などと呼んでいる．天然放射性元素の分布の仕方にはムラがあるので，場所によってバックグラウンド放射線の量も異なっている．日本では，一般的にいって，関東地方より関西地方がその量は多い（花崗岩の分布と大きな相関関係がある）．

8.7 放射線量の単位

　放射線の量を測る方法はいくつか考えられる．絶対的な値を知ろうとするならば，単位体積内に何個の粒子が存在しているかを測ればよい．別の方法では，どれだけのエネルギーを物質に与えるかを基準にしてもよい．放射線量の単位は目的に応じていくつかの単位が日常用いられている．放射線や放射能の単位は，1989年までは，Ci（キュリー），R（レントゲン），rad（ラド），rem（レム）などが使用されていたが，現在は，Bq（ベクレル），C/kg（クーロン/kg），Gy（グレイ），Sv（シーベルト）を用いることになっている．これらの単位について表8.4にまとめておく．

表 8.4　放射線量の単位

測定目的	新しい単位	従来の単位	説　　　明
放射能	ベクレル (Bq) 1 Bq＝27 pCi（ピコキュリー） 1 p＝1兆分の1	キュリー (Ci)	放射能の強さを表す．1 Bq は放射性原子核が1秒間に1個崩壊するときの放射能の強さ． 　1 Ci はラジウム1gの放射能で，1秒間に370億個の原子核が崩壊しているときが1 Ci となる．
照射線量	クーロン/kg (C/kg) 1 C/kg＝3876 R	レントゲン (R)	γ線，X線の照射量を表す．これは測定点での放射線の照射量を測る単位面積あたり，放射性原子核の近くでは，多量の放射線が通過するが遠くでは小量となるので，放射線を受ける場所を中心に考えると便利なことがある． 　1 C/kg は空気1kg中に1Cの電気量を生じる線量．

吸収線量	グレイ (Gy)	ラド (rad)	放射線が物質に入ったとき，その物質に吸収されるエネルギーを表す．1 Gy は物質1 kg あたり1 J のエネルギーを与える線量である．
	1 Gy = 100 rad		
線量当量	シーベルト (Sv)	レム (rem)	人体に与える放射線の影響の程度を表す単位．放射線が人体に入ったとき，人体が吸収するエネルギー，体内で作られるイオン対の数は放射線の種類で異なるので，上記の3つでは不十分である．X 線，β 線，γ 線では Gy と同じで α 線，中性子線では Gy の 5～10 倍
	1 Sv = 100 rem		

また，ラジウム1gと等しい放射能は天然ウランでは約3 ton，コバルト60では1 mg に相当していることに注意しておくべきである．

8.8 放射線障害と被曝量

脊髄にある造血組織に 0.25 Sv くらいの放射線が当たると白血球の減少がみられる．0.5 Sv くらいになると，1 mm² に 6000 個から 8000 個ある白血球が 3000 個以下になる．一方では，人体には回復機能が備わっているので，一時的に放射線を浴びても，その後浴びなければ大事に到らない場合もある．ところが，上の例では問題にならないと思われる 0.25 Sv 以下の小量であっても，毎日放射線を浴びていると，蓄積によって危険になってくる．放射線を浴びない（被曝しない）にこしたことはないが，職業上，放射線同位元素を扱ったり，レントゲン装置を扱う技師の人達にとっては，被曝は避けられない問題である．そのため，安全のための被曝量の許容値が，物理学的，生理学的見地から定められている．表8.5に国際放射線防護委員会（ICRP）の出した最大許容線量を掲げておく．

表 8.5 ICRP が勧告した最大許容線量

	最大許容線量 (Sv)	
	13週あたり	1年あたり
職業上被曝する個人		
・生殖腺・造血臓器		
0.05 Sv [年齢−18]	0.03	0.05
ただし，		
妊娠可能年齢の婦人の腹部被曝は	0.013	
妊娠とわかった後，胎児に対しては	0.01	
・皮膚・甲状腺・骨	0.08	0.3
・その他の臓器	0.04	0.15
・手・前腕・足・くるぶし	0.2	0.75
直接には放射線作業に従事しない成人従業者		
・生殖腺・造血臓器	——	0.015
・皮膚・甲状腺・骨	——	0.03
・その他の臓器	——	0.015
・手・前腕・足・くるぶし	——	0.075
集団全般の構成メンバー（一般の人）		
・生殖腺・造血臓器	——	0.005
・皮膚・甲状腺・骨	——	0.03
ただし，幼児と16歳までの子供の甲状腺は	——	0.015
・その他の臓器	——	0.015
・手・前腕・足・くるぶし	——	0.075

また，放射性同位元素を取り扱う事業所では，被曝線量・放射性同位元素の取扱・管理・監督をする管理者を置く規定となっている．

8.9 被曝線量と生理現象

少量の被曝でも蓄積すると危険であるし，ほんの一瞬でも多量の被曝を受けると，やはり危険である．したがって，ラジウム針やコバルト60など治療に用いる放射性元素を素手で持つと，とても危険であることは充分理解できるであろう．

放射性同位元素（ラジオアイソトープ）などで被曝した場合の，線量とその影響の関係を表8.6に示す．

表8.6 大量線量による全身に対する早期効果

線量 (Sv)	被曝直後の影響
0.25 以下	一般の臨床検査では異常が認められない．
0.25	一時的な血液細胞の微小変化．
1	軽微な血液の変化がある．軽度の吐き気，吐しゃする者が出はじめる．一時的な生理機能の低下がある．
2	血液細胞がかなり変化する．吐き気，吐しゃ．小数の人が死亡する可能性あり．一時的に生殖機能が低下し，子孫に遺伝的欠陥を増す機会が多少ある．
5	血液細胞に顕著な変化がある．激しい吐き気，吐しゃ，下痢．直ちに処置しないと約50％は死亡．一時的に生殖機能が低下し，遺伝的欠陥が生じる可能性大．
8	ひどい吐き気，吐しゃ，下痢．ひどい衰弱と倦怠感．直ちに処置しても全員死亡する．

8.10 原子力エネルギー

ここまでは，放射線が人体に及ぼす影響について述べた．ここまでの話では，放射性元素は人類にとって何ら利益をもたらすものはなかった．

アインシュタインの $E = mc^2$ という質量とエネルギーを結びつける関係式は1905年の発表以来知られていた．1938年12月にドイツの化学者ハーン（O. Hahn；1879～1968）とシュトラスマン（F. Strassmann；1902～1980）は，ウランの原子核がある条件下で，ほぼ同じくらいの2つの核に分裂して多量のエネルギーが解放される事実を発見した．翌年の1939年にはイタリアの物理学者フェルミ（E. Fermi；1901～1954）はウランの分裂のときに出る高速中性子を水（重水）で減速して熱中性子とすれば，ウランの核分裂が連鎖反応を起こしてエネルギーが取り出せることを発見した．ここで，質量からエネルギーへの変換というアインシュタインの関係式の重要性が認識されるに到った．

これが，1つは原子爆弾という形で使用され，今日に到るまで悲惨な傷跡を人類に残している．このことは，科学と科学者は「いかにあるべきか？」を今も考えさせる重大な問題提起であった．

8.10 原子力エネルギー

　その後，原子力の平和利用として，原子炉（核分裂炉）が考案された．原子炉では，炉心部は普通の水（軽水）あるいは重水の中に置かれ，核分裂の速さを炭化ホウ素という中性子を吸収しやすい物質で作った減速棒を炉内の圧力容器に入れることで分裂の速さを制御できる．この炉心の周りに水を循環させ温めて水蒸気を発生させ，タービンを回すことで発電を行っている．現在日本では，電力の 20％以上を原子力発電で供給している．核分裂によるエネルギーは，重い原子よりも軽い原子の方が結合エネルギーが大きいことを利用している（図 8.2 参照）．他方，軽い元素である水素を 4 個結合させても，重水素 2 個を結合させてもヘリウムができる．このときにも多量のエネルギーが取り出せることが図 8.2 から理解できる．このように，複数の軽い元素を結合させ重い元素に変えることを**核融合**という．水は水素 2 個と酸素 1 個から出来ており，地球上に大量にあるので，水素を使う核融合エネルギーを発電に利用すれば，エネルギー問題に光明を与えそうに思える．これが現在も盛んに研究されている制御核融合の研究である．

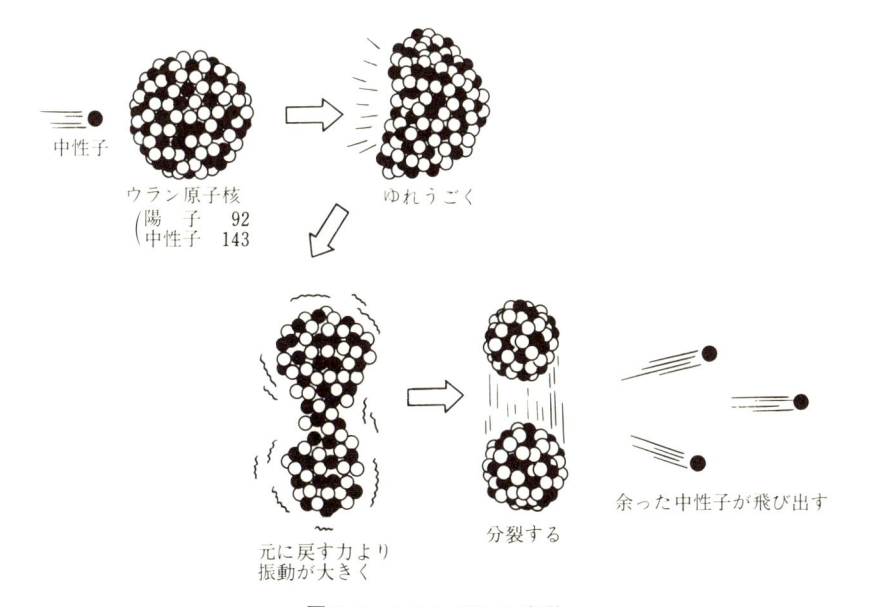

図 8.5　ウラン 235 の分裂

核融合エネルギーも水素爆弾という兵器で，最初に実用化されたことは悲しむべきことである．この兵器のビキニ環礁での実験に際し，漁船で操業していた日本人が再び犠牲となった．原子爆弾のときの教訓が活かされない状態が続くのは悲劇というほかはない．

8.11 放射線の利用

放射線の脅威は，遺伝に及ぼす影響が特に大きいことにある．動物，植物は，地球上の悠久の歴史の中でDNAに記録した遺伝子の情報を子孫に複製して伝え続けてきた．時には，宇宙線などの放射線による影響などによって，突然変異で親に似ない子が生まれ育つこともあったであろう．現代の人類にとって恐ろしいのは放射線によってDNAに蓄えられている遺伝子情報が書き換えられることであろう．

一方，薬はサジ加減一つで薬にもなるし毒にもなる，ということはよく知られた事実である．したがって，恐ろしい放射線も利用の仕方では，人類にとって有益な役割を果たすであろう．

ここまでの説明でわかるように，放射線は人体の組織細胞にエネルギーを与えたり，組織を破壊したりする作用がある．また，放射能は外部から測定器を使用すれば存在する位置を容易に知ることもできる．このような働きを応用した診察方法，治療方法がいくつか実用化されている．ここでは，このような事柄について述べる．

8.11.1 医療（診察）における利用

人間の体内には，鉄，リン，ナトリウム，ヨウ素などが自然の状態で存在している．したがって，これらの放射性同位元素を，対外から入れても，体内では自然にある元素と同じ振舞いをする．このことから，放射性同位元素を少量投与して，ガイガーカウンター，X線フィルムなど，放射線の検出器でその行方を追跡すれば，血液の流れを監視したり，動植物の新陳代謝を研究したり，分子構造を決定したり，病変部を探知したりできる．

これら利用の仕方を以下にまとめる．

① オートラジオグラフ：外部から投与した放射性同位元素を，時間ごとに

8.11 放射線の利用

フィルムを密着させて，存在位置を調べていく．これによって病変部の位置を調べたり，治療することができる．図 8.6 に癌の治療に使われている研究例を示す．

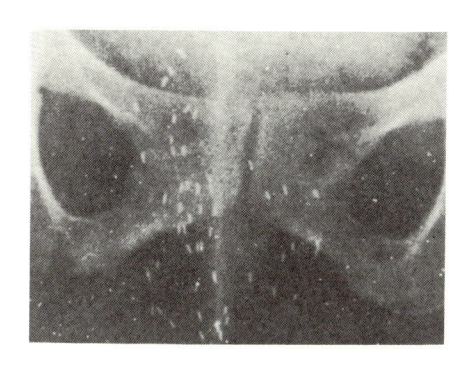

図 8.6 放射性クロームを使った癌治療法
骨盤に 51 Cr の小片が埋込まれているのが見える．
(勝守・吉福訳，シップマン自然科学入門物理学，
学術図書出版 (1984) より)

② in vitro method：投与した放射性同位元素の蓄積の仕方を，組織の一部を体外に取り出して調査する方法．検査するには，取り出した組織を灰にして放射能を測る．

③ in vivo method：γ 線を出す放射性同位元素を投与し，ガイガーカウンターで体外から直接に観測する方法．

これらの方法に用いる放射性同位元素は人体に影響を与えない程度の微量でなければならない．また，体内に蓄積して長時間留まるような元素では，半減期の短い元素が望ましいことはいうまでもない．

8.11.2 治療に利用

放射性同位元素が出す放射能が組織を破壊する性質を利用すれば，病巣を取り除くことができる．これが放射線を治療に利用する基本となっている．

① 放射性ヨウ素 (^{131}I)：ヨウ素は甲状腺に集まりやすいので，血液中に放射性ヨウ素を入れて甲状腺の病変部の治療に利用する．

② リン：腫瘍，特に，白血病性浸潤，骨，骨髄に集まりやすい．

③ カルシウム：骨組織に集まりやすい．
④ 体腔内照射（密着照射）：組織の表面に病巣があるとき，ラジウムを密着させて治療する．
⑤ 腫瘍内照射：病巣がある臓器にラジウム針を挿入して治療する．
⑥ 間隔照射：体外から，直接に，X線，α線，β線，γ線，中性子線を照射して腫瘍を焼く．

8.11.3 考古学での年代測定

地球上の動植物はすべて，炭素，窒素，酸素，水素でできている．このうち，炭素は3つの同位体（^{12}C，^{13}C，^{14}C）があり，最後の^{14}Cだけが放射性同位元素であり，半減期は5730年で，β崩壊によって^{14}Nになる．一方，^{13}Cは宇宙線の衝突によって^{14}Cに変換される．^{13}Cから^{14}Cが生み出される割合と，^{14}Cが崩壊して^{14}Nになる割合は同じくらいなので，^{14}Cが存在している割合（パーセンテージ）は一定に保たれている．動植物は^{14}Cを二酸化炭素の形で取り入れているが，死滅すると大気中から^{14}Cを取り入れるのも止まるので，動植物に含まれている^{14}Cは減少する一方となる．このことから，古い物質のβ崩壊の割合を測定すれば，その物質の年代を推定できる．これを**炭素同定法**という．

> ★生きている動植物は，炭素1gあたり毎分約16個のβ線を出すだけの^{14}Cを含んでいる．

8.11.4 農作物への応用

放射線が遺伝子を変える性質を利用して，突然変異を人工的に起こして，親に無い有用な形質を持った子を選んで，人工の品種を作る．また，ジャガイモの芽にはソラニンという有毒物質が含まれているので，長期間保存しにくい．そこで，保存するときに，コバルト60を照射すれば，芽が出なくなる（発芽しなくなる）ので都合が良い．

9 章
分 光 学

　気体を高温にすると光が出る．同じように鉄などの固体を熱しても光を出す．このように，私達の周辺には光を出す（発光する）現象が随所に見られる．これらの光（広くは電磁波，音波）の波長，あるいは，振動数に対して，どのような強さで，どのように分布しているかを表したものを**スペクトル**という．また，光（電磁波，音波など）のスペクトルを手がかりに物質の状態などを調べるのを**分光学**という．

　物質の出すスペクトルの波長，強さを調べると，原子・分子ひいては物質の構造とか，物質に含まれている原子や分子の種類・量，さらには，物質が置かれている状態を知ることができる．分光学は，かつては，原子の構造を研究する原子物理学の有力な担い手であったが，現在では，核融合，プラズマ物理学，天体物理学，宇宙物理学などの研究において1つのアプローチの仕方として，再び，重要な役割を果たしつつある．

　さらに，スペクトルを手がかりに物質の量，状態を調べる分光分析の技術は，公害による大気汚染の状態，レーザー光を用いた治療と，実用的にますます広い範囲で使用されるようになっている．

9.1 色々な光

　ここでは，線スペクトル，帯スペクトル，連続スペクトル，蛍光，燐光，レーザー光について述べる．
　1）　線スペクトル

線条で飛び飛びのスペクトルであり，原子から放射され，原子に固有の型を持っている．

2) 帯スペクトル

帯状のスペクトルが一定の型で分布していて，分子から放射され，分子に固有の型を持っている．帯状に見える部分を分解能の良い分光器で見ると，線スペクトルがビッシリと集まっていることがわかる．

3) 連続スペクトル

固体を熱したときに出るスペクトルで，波長領域全体に連続的に分布している．

4) 蛍　　光

光を照射すると光を放射する「蛍光物質」からの光で，照射した光の波長よりは長い波長域にスペクトルが分布している．

5) 燐　　光

光を照射するのを停止しても，しばらくの間，放射し続ける光である．照射した光の波長より長い波長域にスペクトルが分布することは蛍光と同じである．

6) レーザー光

エネルギーの高い状態から低い状態へ電子が刺激となる光に歩調を合わせて光を放出（誘導放射）と，光の波の位相がすべて揃った状態で，特定のスペクトルの光が放射される．これがレーザー光である．レーザー光はきわめて狭い領域にエネルギーを集中できることから，レーザーメスとしての応用，特定の原子などに刺激を与えることが可能なため癌治療にますます応用範囲が広がるであろう．

★メーザー（MASER）とレーザー（LASER）★

メーザーは

Microwave Amplification by Stimulated Emission of Radiation

レーザーは

Light Amplification by Stimulated Emission of Radiation

の略で頭文字を並べた表現である．

高いエネルギー準位 E_2 に励起された原子や分子は，その準位固有の確率で電磁波を放出して，より低い準位 E_1 に移る．このとき，$E_2 - E_1 = h\nu$ に相当する電磁波は周囲の高い準位にある原子や分子からも一定の確率で，入射した電磁波と位相の揃った電磁波を放出させる（誘導放射という）．放出される電磁波がマイクロ波領域ではメーザー，光の領域であればレーザーという．放出される光の位相が揃っているため直進性に優れ，吸収され減衰することを除けば遠くまで伝わる．また，放射の原理から単色性に優れている．

9.2　原子スペクトル

　気体を高温にすると原子から光が出る．このスペクトルは気体の原子固有な線スペクトルである．

　原子からのスペクトルは整然とした規則性を持っている．これを最初に示したのはバルマー（J. J. Balmer；1825～1898）で1884年のことであった．長岡－ラザフォードによって原子は核と核の周りを回るいくつかの電子によって成り立っていることを提唱された．これによると，電子が核の周りを回る軌道が変われば，そのエネルギー差から光を放射したり吸収することが示せる．しかし，軌道が連続的に変化したのでは，原子の整然とした線スペクトルの配置を説明できなかった．1913年にボーア（N. H. D. Bohr；1885～1962）は「原子にはいくつかの定常状態があり，定常状態にあるかぎり，電子のエネルギーは一定で，光も出さない．別の定常状態へ電子が移るときだけ，光を出したり，吸収したりする」という量子条件を提唱した．

　また，プランク（M. Planck；1858～1947）は，1900年に，「原子から放射されたり吸収されたりするエネルギーは不連続な量に限られる」という量子仮説を提唱し，今までの物理学（古典物理学）の基礎を揺り動かした．それは，地球の周りを回る人工衛星を例にとるならば，人工衛星の高さは連続的に変えることができる．ところが，原子の世界では，電子の軌道半径は連続的に変えることができず，限られた軌道しか許されないということは，古典物理学では考えられないことであった．その5年後，アインシュタインはこの仮説を光電効果を説明するために適用し，光の量子（光量子）を発見した．これは，光が波動の性質と粒子の性質の両面を持っていることをはっきりと示した1つの例

である．これらによると驚くほど原子スペクトルと一致する結果を導くことができた．その後，量子力学の発展に伴って，より精密に原子内部の様子が理解できるようになった．

ここでは，原子としては最も簡単な，陽子1個を核とし，1個の電子が周辺にある水素原子のスペクトルについて説明する．陽子と電子を結びつけている力はクーロンの法則で表せる電気力である．電子が陽子の周りを速度 v で円運動していると仮定すれば，

$$\frac{kq^2}{r^2}=\frac{mv^2}{r} \quad (q：電子と陽子の電気量，m：電子の質量)$$

が成り立つ．この式から，

$$mv^2=\frac{kq^2}{r}$$

が得られる．したがって，電子の運動エネルギーは，

$$\frac{mv^2}{2}=\frac{kq^2}{2r}$$

となる．一方，電子の位置エネルギーは，

$$\frac{-kq^2}{r}$$

であるから，電子の持つ全エネルギーは［運動エネルギー］＋［位置エネルギー］なので

$$E=\frac{-kq^2}{r}+\frac{kq^2}{2r}=\frac{-kq^2}{2r}$$

となる．ここで，$k=1/4\pi\varepsilon_0$ である．また，r は陽子と電子との距離である．

さて，プランクによると，光の振動数を ν，h をプランクの定数とすると，光のエネルギーは，

$$E=h\nu \qquad h=6.626\times10^{-33} \text{ J·s}$$

となる．また，λ を光の波長，c を光速度とすると，$c=\lambda\nu$ なので，

$$E=\frac{hc}{\lambda}$$

のように光のエネルギーは表せる．

また，円運動をしている電子の運動量は mvr であるが，ボーアによると，

9.2 原子スペクトル

運動量もエネルギーと同様に，不連続な値しか許されず，

$$mvr = n\frac{h}{2\pi} \quad (n=1, \ 2, \ 3, \ \cdots)$$

であるとした．これは全く大胆な仮説であった．これらによって，電子の軌道半径 r と，エネルギー E を，定数と正整数 n で表現できる．すなわち，

$$\frac{kq^2}{r^2} = \frac{mv^2}{r} = \frac{m}{r} \cdot \frac{n^2 h^2}{4\pi^2 m^2 r^2}$$

ゆえに，

$$r = \frac{h^2}{kq^2 4\pi^2 m} \cdot n^2 = 0.529 \, n^2 \quad (\text{Å})$$

また，エネルギーは

$$E = \frac{-kq^2}{2r} = -\frac{kq^2}{2} \cdot \frac{kq^2 4\pi^2 (m/h^2)}{n^2}$$

$$= \frac{-k^2 q^4 4\pi^2 (m/2h^2)}{n^2} = \frac{-R}{n^2} = \frac{-13.60}{n^2} \quad (\text{eV})$$

と表せる．ここで，

$$R = \frac{k^2 q^4 4\pi^2 m}{2h^2}$$

は**リドベルグ定数**といわれるものである．

以上のようにして求められた電子のエネルギーをある尺度で描いたものをエネルギー準位の図という．水素原子の例を図 9.1 に示す．

正整数 n を**主量子数**と呼び，$n=1$ の状態を**基底状態**，$n=2$ 以上を**励起状態**という．また，$n=\infty$ になったときには，$E=0$, $r=\infty$ となり，電子はもはや核の束縛を受けないで，自由に動ける．このような状態になることを**電離**という．また，軌道は n の値で決まり，飛び飛びにしか存在しないので，放射されるスペクトルも飛び飛びの線スペクトルしか出てこないこともわかる．例えば，$n=2$ の状態から $n=1$ の状態に変化したときには 1216Å, $n=3$ の状態から $n=1$ の状態に変化したときには 1026Å の光を放出する．逆に，1216Å の光を入射すると $n=1$ から $n=2$ の状態に上がる（励起される）が，これを**共鳴吸収**という．

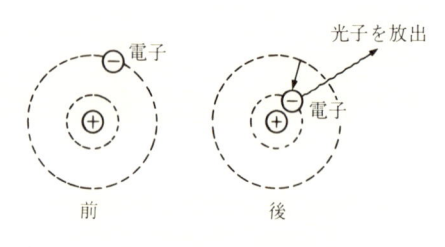

(a) 水素原子の励起状態（外側の軌道）にある電子が，エネルギーを失って光子を放出し内側の軌道に移る．

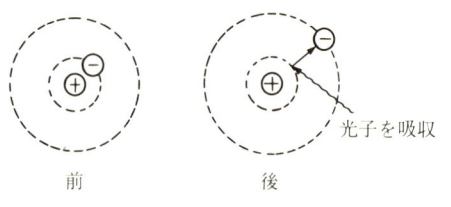

(b) 水素原子の励起状態にある電子が，低い状態に移ってエネルギーを失う可能な場合のいくつかを示す．矢の長さは放出される光子のエネルギーを表す．

(c) 水素原子に光子が吸収されると，電子はエネルギーを得てより高いエネルギーの励起状態に移る．

図 9.1 水素原子のエネルギー状態の変化の様子

ヘリウム以上の複雑な原子は，電子の数も多くなり，放射されるスペクトルも複雑になってくるが，水素と同じように説明できる．以上のことから，原子が固有のスペクトルの分布をしていることがわかるであろう．分子も固有のスペクトルを持つが，分子の帯スペクトルは，原子のそれより一段と複雑である．

原子，分子はそれぞれ固有のスペクトルを持っているので，物質から放射されるスペクトルの波長，強さ，形（輪郭）などを調べると，物質に含まれている原子・分子の種類・量，ひいては，物質が置かれている環境状態を知ることができる．このような手法を**分光分析**と呼ぶ．

アインシュタイン（Albert Einstein；1879～1955）

ニュートンに匹敵する科学者である．金属に光を当てると電子が放出される"光電効果"にプランクの量子論を適用し，古典論では説明できなかった問題の解決をした．この研究によって1921年にノーベル物理学賞を受けた．彼の研究は時間－空間の問題に及び特殊相対性理論を発表した．これによって有名な $E=mc^2$ という，質量とエネルギーが本質的に同じものであるということが導き出された．

1915年には一般相対性理論という大論文を発表した．これによって，惑星の近日点の移動，強力な引力の場では光は赤い方へ偏移を起こし光路は曲がることを予言した．光路の曲がりは1919年の日食のときに確認された．

なお，光電効果はテレビカメラの撮像管や微弱な光を測定する光電子増倍管（フォトマルチプライアー）に応用されている．また，一般相対性理論は宇宙の進化などを論じる基礎となっている．

9.3 医療への応用

共鳴吸収を応用した治療を1つ取り上げて，分光学を応用する有用性と将来への発展性を示唆することにする．

病変部に集まりやすい元素を体外から注入し，その元素が放射するスペクトルの波長に等しい光を病変部に照射すると，光のエネルギーは元素にのみ選択的に共鳴吸収によって吸収される．これによると，病変部にのみエネルギーを集中できるので，正常な部位の損傷を少なくできるし，入射する光のエネルギーも少なくてすむ．この場合，入射する光にレーザー光を用いると指向性が良く，狭い部分にエネルギーを集中できるので便利である．また，注入する元素に放射性同位元素を用いると，病変部を特定しやすいという利点も生まれる．

病変部に集中しやすい元素を外部から注入し，光を照射すると，元素固有のスペクトルが放射される．このような元素が放射するスペクトルの分布を調べると，病変部の分布とその悪化の程度を知る手がかりが得られる．これは，放射性同位元素を用いて病変部を診断する手法ときわめて近い方法である．

9.4 体温分布

　物体が熱せられると光を放出することはよく経験している事柄である．また，物体に光を当てると，その一部は透過し，一部は反射するが，残りは吸収される．物体における光の放射と吸収の比率は，物体の種類によらず，物体の温度と光の波長だけで決まることが知られている（キルヒホッフの法則）．プランクは熱せられた固体からの熱放射の問題を研究し，固体の温度 T と放射される光の振動数 ν（$\nu = c/\lambda$）との関係を明らかにした．

　熱せられた固体からのスペクトルは連続スペクトルとなり，スペクトルの強度分布はプランクの熱放射式

$$E = \frac{2\pi h\nu^3}{c^2} \frac{1}{\exp(h\nu/kT)-1}$$

で与えられる．これをグラフに示すと図 9.2 のようになり，物体の温度が高くなるほど，そのピークは波長の短い方へ移動する．ちなみに，太陽の表面温度は約 6000 °C であり，私達の眼で最も感度がよい可視部にピークがある．

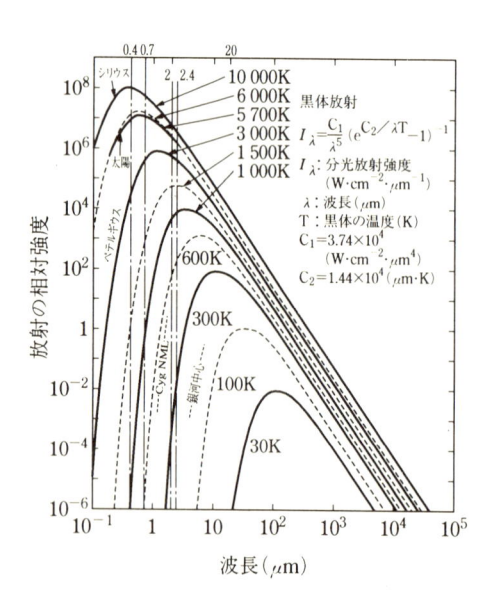

図 9.2　固体からの連続スペクトル

物体の温度が低いときには，放射される光のほとんどが赤外領域にある．したがって，赤外線に感じるようなテレビカメラで物体を撮影すれば，物体の温度分布を知ることができる．この赤外テレビカメラ（IRTV）を応用し，人体の像を撮影すると，体温の分布を調べることができる．体温の分布状態から，病変部の位置を求めたり，運動などの負荷を加えたときの筋肉などの状態の変化を調べたりできる．

★恒星の色と温度★

恒星の色もその温度に依存している．温度が高い星は青く輝き（例えばシリウス），温度が低い星は赤い色をしている（例えばアンタレス）．恒星の色による分類をスペクトル型といい，温度が高い順にO型，B型，A型，F型，G型，K型，M型，R型，N型，S型と分類されている．各型はさらに0〜9まで細分されている．ちなみに，太陽はB0型に分類される．

誰が言ったか，これを記憶するために
　　　　　Oh, Be A Fine Girl, Kiss Me Right Now, Smack!
と当てはめたのは名(迷)文というべきかもしれない．

プランクの熱放射式による極大波長は，固体の温度が高いほど波長が短い側へ移動していく．これはウィーンの変位則として知られている．固体の温度をT，放射が極大になる光の波長をλ_{max}とすると，
$$\lambda_{max} = 3 \times 10^7 / T \text{ (Å)}$$
で与えられる．

9.5　殺　菌　灯

光の中でも，紫外線は殺菌作用がある．この作用を利用すれば，器具に付着している細菌を死滅させ除去できる．普通，殺菌灯として用いられるのは，蛍光灯によく似たランプである．基本的には蛍光灯と同じであるが，ガラス管を紫外線をよく透過させる紫外線透過ガラスを用い，管の内壁には蛍光物質が塗布されていない．殺菌灯からは水銀のスペクトルが直接出てくるが，波長2537Åの水銀のスペクトルは非常に強度が高い．この紫外線が殺菌作用を持っている．なお，水銀のスペクトルは可視部では5461Åが強い．これは緑色のため水銀灯で照らされた街路樹は鮮やかな緑色に見える．

(注) 殺菌灯からの光を直接肉眼で見ないこと．網膜剥離を起こす誘引となる．また，殺菌灯からの光を皮膚に長時間照射しないこと．日焼け状態になるだけでなく，皮膚癌の誘引となる．

地球大気は，上層部のオゾン層で太陽からの紫外線の大部分を吸収している．フロンガスによってオゾン層が破壊されると，紫外線の地表へ到達する量が増加し危険なので，今日フロンガスが問題になっている．

付　録

1. 原子から放射されるスペクトルの例

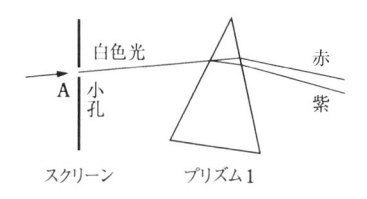

白色光　　　赤
A 小孔　　　紫
スクリーン　　プリズム1

水素

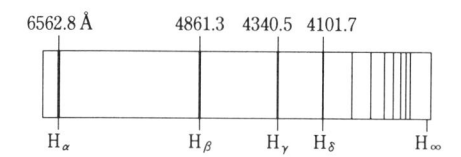

6562.8 Å 4861.3 4340.5 4101.7

H_α　H_β　H_γ　H_δ　H_∞

ナトリウム

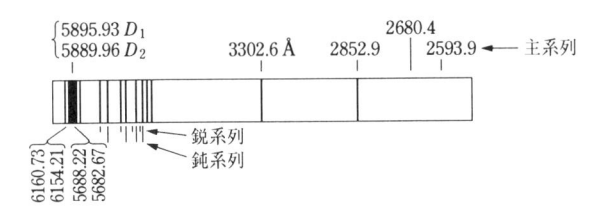

5895.93 D_1
5889.96 D_2　　3302.6 Å　2852.9　2680.4　2593.9 ← 主系列

鋭系列
鈍系列

6160.73
6154.21
5688.22
5682.67

水銀

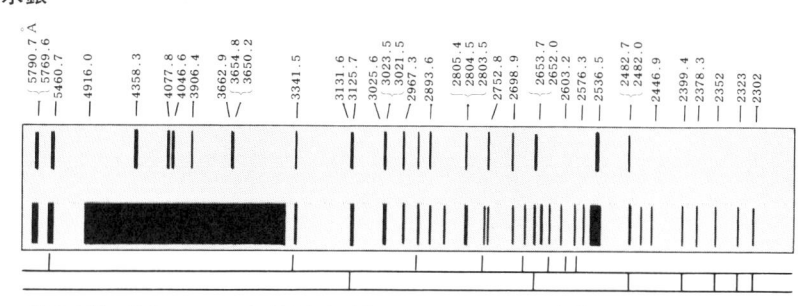

5790.7 Å
5769.6
5460.7
4916.0
4358.3
4077.8
4046.6
3906.4
3662.9
3654.8
3650.2
3341.5
3131.6
3125.7
3025.6
3023.5
3021.5
2967.3
2893.6
2805.4
2804.5
2803.5
2752.8
2698.9
2653.7
2652.0
2603.2
2576.3
2536.5
2482.7
2482.0
2446.9
2399.4
2378.3
2352
2323
2302

露光時間の異なる2つの分光写真を示す．このスペクトルは比較スペクトルとして用いることがしばしばあるので，大部分の線の波長を上に示しておいた．

2. 周期表

長周期型

1 (1A)	2 (2A)	3 (3A)	4 (4A)	5 (5A)	6 (6A)	7 (7A)	8 (8)	9 (8)
1 *H* 1.008								
3 *Li* 6.941†	4 *Be* 9.012							
11 *Na* 22.99	12 *Mg* 24.31							
19 *K* 39.10	20 *Ca* 40.08	21 *Sc* 44.96	22 *Ti* 47.87	23 *V* 50.94	24 *Cr* 52.00	25 *Mn* 54.94	26 *Fe* 55.85	27 *Co* 58.93
37 *Rb* 85.47	38 *Sr* 87.62	39 *Y* 88.91	40 *Zr* 91.22	41 *Nb* 92.91	42 *Mo* 95.94	43 *Tc* [99]	44 *Ru* 101.1	45 *Rh* 102.9
55 *Cs* 132.9	56 *Ba* 137.3	57〜71 ランタ ノイド	72 *Hf* 178.5	73 *Ta* 180.9	74 *W* 183.8	75 *Re* 186.2	76 *Os* 190.2	77 *Ir* 192.2
87 *Fr* [223]	88 *Ra* [226]	89〜103 アクチ ノイド	104 *Rf* [261]	105 *Db* [262]	106 *Sg* [263]	107 *Bh* [264]	108 *Hs* [269]	109 *Mt* [268]

ランタ ノイド	57 *La* 138.9	58 *Ce* 140.1	59 *Pr* 140.9	60 *Nd* 144.2	61 *Pm* [145]	62 *Sm* 150.4	63 *Eu* 152.0	64 *Gd* 157.3
アクチ ノイド	89 *Ac* [227]	90 *Th* 232.0	91 *Pa* 231.0	92 *U* 238.0	93 *Np* [237]	94 *Pu* [239]	95 *Am*\n[243]	96 *Cm* [247]

イタリック体は遷移金属元素。記号の上の数字は原子番号，下の数字は4桁の原子量値 Se が ±3 以内である。〔 〕内に代表的な放射性同位体の質量数を参考値として示し体の質量数が示されている。*Sc*, *Y* およびランタノイドの17元素を希土類元素と総 IUPAC 無機化学命名法改訂版 (1989) による族番号は 1〜18 である。かっこ内に示した 107 番以降の元素については化学的性質が明らかでなく，周期表上の位置は暫定的なも

※原子量表等の数値その他は下記を検討し，引用した。
1) 化学と工業 2002 55 巻 4 号日本化学会原子量小委員会の発表。
2) Puer Appl. Chem., **63**, 7, pp. 957〜990 および pp. 991〜1002 (1991) IUPAC（国際純て勧告された原子量の発表および同位体存在比の発表。ibid., **64**, 10, pp. 1519〜1534 2359(1996)の原子量の発表。ibid., **70**, 1, pp. 217-235 および pp. 237-257(1998)の同
3) 理科年表平成15年第76冊
4) Nomenclature of Inorganic Chemistey RECOMMENDATIONS 1990 (BLACK-
5) 無機化学命名法—IUPAC 1990 年勧告— G. I. LEIGH 編　山崎一雄訳・著(1993)

2. 周期律表

10 (8)	11 (1B)	12 (2B)	13 (3B)	14 (4B)	15 (5B)	16 (6B)	17 (7B)	18 (0)
								2 He 4.003
			5 B 10.81	6 C 12.01	7 N 14.01	8 O 16.00	9 F 19.00	10 Ne 20.18
			13 Al 26.98	14 Si 28.09	15 P 30.97	16 S 32.07	17 Cl 35.45	18 Ar 39.95
28 Ni 58.69	29 Cu 63.55	30 Zn 65.41	31 Ga 69.72	32 Ge 72.61	33 As 74.92	34 Se 78.96	35 Br 79.90	36 Kr 83.80
46 Pd 106.4	47 Ag 107.9	48 Cd 112.4	49 In 114.8	50 Sn 118.7	51 Sb 121.8	52 Te< br>127.6	53 I 126.9	54 Xe 131.3
78 Pt 195.1	79 Au 197.0	80 Hg 200.6	81 Tl 204.4	82 Pb 207.2	83 Bi 209.0	84 Po 〔210〕	85 At 〔210〕	86 Rn 〔222〕
110 Uun 〔269〕	111 Uuu 〔272〕	112 Uub 〔277〕		114 Uuq 〔289〕		116 Uuh 〔292〕		

65 Tb 158.9	66 Dy 162.5	67 Ho 164.9	68 Er 167.3	69 Tm 168.9	70 Yb 173.0	71 Lu 175.0
97 Bk 〔247〕	98 Cf 〔252〕	99 Es 〔252〕	100 Fm 〔257〕	101 Md 〔258〕	102 No 〔259〕	103 Lr 〔262〕

で，その値の信頼度は最後の桁で ±1 以内。Li, Zn, Ge が ±2 以内。
た。Tc, Po, Pu および Cf の 4 元素以外は最長半減期を有する同位
称し，93番元素以上の元素をしばしば超ウラン元素と呼ぶ。
のは '1970年規則' の亜族方式による族番号表示である。原子番号
のである。

正応用化学連合）の原子量および同位体存在度委員会(1989)によっ
(1992), ibid., **66**, 12, pp. 2423-2444(1994), ibid., **68**, 12, pp. 2339-
位体存在度の発表および原子量値の変遷(1882-1997)。

WELL SCIENTIFIC PUBLICATIONS) 周期表の解説がある。

問題解答

2 章

問 2.1 図は略，[ベクトルの大きさ]＝$\sqrt{3^2+4^2}=\sqrt{25}=5$

問 2.2
(1) 腰をやや落として患者の下に，手のひらを上にして，入れる．
(2) ベッドの端に肘をあてる．
(3) 肘を支点にして，腰を下げる．自分自身の体重を利用し患者を持ち上げる．

問 2.3 先頭を歩く人は足側がよい．

力学的理由：重心は頭よりにあるため，頭側の方が重い．後手で持つ人は軽い方が歩きやすい．

心理学的理由：患者に与える不安感が少ない（患者に進行方向が解らない等による不安感）．

医療上の理由：点滴などの治療行為を行いやすい．患者の様態を担架の後側を持つ人が観察しやすい．さらに，あってはならないことであるが，もし何かにぶつかったとしても頭があたらないのでダメージが少ない．

＊実際に担架を使って互いに実験を行ってみるとよくわかるであろう．

問 2.4 略（観察をしてみよ）．

問 2.5 未知の試料の質量を x とし，質量 m の分銅を載せたとき釣り合ったとする．a, b を天秤の腕の長さとすると，$xga=mgb$．天秤では，$a=b$ なので，$x=m$．天秤は，地域で異なる重力加速度 g の変化による影響を受けないのが特徴である．

3 章

問 3.1 手首を中心に体温計は円運動をする．円運動の半径を r，質量 m の水銀柱の速度を v とすると，水銀柱には mv^2/r の遠心力が働く．

問 3.2 乗り物に乗っている人には，そのときの速度で直進しようとする慣性力が働く．乗り物がカーブを曲がるので，その慣性力が遠心力として感じられ，外向きの力となる．

問 3.3　雨傘の回転の向き，接線方向（実験を行ってみよ）．

問 3.4　$\dfrac{d^2x}{dr^2}=g$, $t=0$ のとき，$v=0$ m/s, $h=5$ m より

$v=gt$, $h=\dfrac{1}{2}gt^2$ より $t\fallingdotseq 1$ s, $v\fallingdotseq 9.8$ m/s

問 3.5　初速度 V_0, 角度 θ で投げたボールは空気の抵抗が無視できる場合には，$V_0^2\sin 2\theta/g$ で地面に到達する．$\sin 2\theta=1$ となる角度は $\theta=45°$ のときである．

問 3.6　質量 m の金槌は速さ v で釘にあたり，$\varDelta t$ 秒間で速さが 0 になるものとする．金槌によって釘に加わる力は，$mv-m\cdot 0=F\cdot \varDelta t$ となる．

　　　$F=mv/\varDelta t$, 金槌の質量が変化しても $\varDelta t=$ 一定ならば，m が大きいほど釘には大きな力が加わる．

問 3.7　質量 m のボールがぶつかる直前の速さを v, 跳ねたときの速さを v' とし，ぶつかりはじめて跳ねるまでの時間を $\varDelta t$ とする．
$$mv-mv'=F\cdot \varDelta t \text{ から，} F=m(v-v')/\varDelta t$$
ボールが跳ねたときの方が運動量の変化が少なく，体に加わる力も小さくなる．

問 3.8　支点からの長さを a, b ($a>b$), 加えた力を f, 加わる力を F とする．$fa=Fb$ なので，$F=f(a/b)$ となり，力では得をする．作用点の移動距離 l と力点の移動距離 L の関係は $l=L(a/b)$ となる．
$$[\text{力点のなす仕事}]=fl=fL(a/b)=FL=[\text{作用点のなす仕事}]$$

問 3.9　速度が 2 倍なので，運動エネルギー（$mv^2/2$）は 4 倍となるので，力を 4 倍にすればよい．

4 章

問 4.1　拍動再開時：最高血圧（動圧と静圧の合計）
　　　　拍動消失時：最低血圧（静圧のみ）

問 4.2
　　(1)　マノメーターを鉛直に立てる．
　　(2)　心臓の高さと同じにする（高さの差 h によって，ρgh だけ違いがでる）．
　　(3)　右腕．理由：略

問 4.3　1 atm＝760 mmHg＝760×13.6 mmH$_2$O
　　　　P＝500 mmH$_2$O＝500/13.6 mmHg＝(500/13.6)/760 atm$\fallingdotseq 0.048$ atm

問 4.4　人体の密度を 1.05 g/cm^3 とすると，体重 60 kg の人の体積 V は，

$V = 60 \times 1000 / 1.05 \text{ cm}^3 = 57142.857 \text{ cm}^3$

浮力は 57.142857 kg に相当するので，体重計の指示値は 2.86 kg

応用：人体の密度は体脂肪が増加すると小さくなる．このことを応用すると体脂肪率が測定できる．

問 4.5　動圧と静圧の合計（心臓が血液を送り出す力：収縮圧）．

問 4.6　心臓から足までの高さの差を h とすると，$\rho g h$ （静水圧と呼ぶ）だけ高くなる．

問 4.7　血液にも粘性があるため，心臓からの血管の距離が長いほど圧力は下がる．右手の方が心臓からの血管の長さが長い（実際に測定して，その値を調べてみよ）．

問 4.8　空気の密度は 0 °C，1 気圧で

$$\rho = 1.293 \times 10^{-3} \text{g/cm}^3 = 1.293 \text{ kg/m}^3$$

である．扉に加わる力は動圧である．

$$F = \frac{1}{2} \rho v^2 S = \frac{1}{2} \times 1.293 \times 5^2 \times 2 \times 1 = 32.325 \text{ (N)}$$

地球上では約 3.3 kg のおもりに働く力に相当する．

6 章

問 6.1

$$\begin{array}{llll} 0\,°\text{C の水} \rightarrow 100\,°\text{C の水} & :100 \times 1 & = 100 & \text{cal} \\ 100\,°\text{C の水} \rightarrow 100\,°\text{C の水蒸気} & :100 \times 539.8 & = 53980 & \text{cal} \\ \hline & \text{合　　計：} & 54080 & \text{cal} \end{array}$$

問 6.2　アルコールが体温で蒸発するとき，気化熱を必要とし，体温を奪うため（アルコールの気化熱はエチルアルコール：200 cal/g，メチルアルコール：263 cal/g，n-プロピルアルコール：163 cal/g）

問 6.3　空気の流れによって水蒸気が運び去られ，蒸発が盛んになるため．

問 6.4　ガラス（最近は薄いステンレスのものもある）が二重となっていて，内部は真空になっている．ガラスの真空になっている側には銀メッキが施されている（図略）．

　　＊二重で内部が真空：伝導と対流による熱の移動を防止．
　　＊銀　メ　ッ　キ：放射による熱の移動を防止．
　　＊薄　い　ガ　ラ　ス：ガラスを伝わる熱の移動を少なくする．
　　　参考　パイレックスガラスの熱伝導率：10.9×10^{-3} J/cm·s·K

ソーダガラス：5.5〜7.5×10⁻³ J/cm・s・K

問 6.5 $P_1V_1 = P_2V_2$ において，$P_1 = 1$ atm，$V_1 = 7000\ell$，$P_2 = 150$ atm なので $V_2 = P_1V_1/P_2 = 7000 \times 1/150 \fallingdotseq 46.7$（$\ell$）

7 章

問 7.1

直列接続：合成容量 $\dfrac{1}{C} = \dfrac{1}{C_1} + \dfrac{1}{C_2}$ より，$C = \dfrac{100}{3} \fallingdotseq 33.3$（$\mu$F）

並列接続：合成容量 $C = C_1 + C_2$ より，$C = 150$（μF）

問 7.2 水の誘電率 ε は真空の誘電率 ε_0 の約 80 倍（$\varepsilon_r = \varepsilon/\varepsilon_0$ を比誘電率という）

$$C = \frac{\varepsilon S}{d} = \frac{8.8537 \times 10^{-12} \times 80 \times 1}{1 \times 10^{-2}} \fallingdotseq 7.1 \times 10^{-8} \text{（F）} = 0.071 \text{（}\mu\text{F）}$$

参考：色々な物質の比誘電率

空　　　　気：1.00059（0 ℃, 1 atm）	水　　　　　：〜80
石英ガラス：3.5〜4.0	天　然　ゴ　ム：2.7〜4.0
パラフィン：1.9〜2.4	石　　　油　：〜2
ロッシェル塩：〜4000	チタン酸バリウム：〜5000

真空の誘電率　$\varepsilon_0 = 8.8537 \times 10^{-12} \text{C}^2\text{N}^{-1}\text{m}^{-2}$

問 7.3 $V = IR$ より，$I = V/R = 3.0/1.5 = 2$（A）

実際には電池には内部抵抗があるため，2 A 流れない．

乾電池は一般に内部抵抗が大きく，鉛蓄電池は内部抵抗が小さい．したがって，鉛蓄電池の端子を短絡（ショート）すると，大きな電流が流れ危険である．

問 7.4 $P = VI$ より，$I = P/V = 800/100 = 8$（A）

電気ヒーターなどのニクロム線（電熱線）は冷たいときは抵抗が小さい．しばらく電流を流して一定になったときの値が電気ヒーターのワット数としては記入されている．

スイッチを入れた瞬間はヒーターが温まっていないので，表示されているワット数から計算したより多くの電流が流れる．

問 7.5 もとの抵抗値を R とすると，ニクロム線が一様ならば，抵抗値は長さに比例するので，2/3 に切ると，抵抗値は $2R/3$ になる．

抵抗値が R のとき，$V = IR$ と $P_1 = VI$ よりワット数は $P_1 = V^2/R$ である．抵抗値が $2R/3$ になると，

$$P_2 = \frac{V^2}{(2/3)R} = \frac{3}{2}\frac{V^2}{R} = \frac{3}{2}P_1$$

ゆえに，1.5倍．

実際には，ニクロム線を短くすると，ニクロム線の温度は元の状態のときより上昇し，ニクロム線の抵抗値も変わる．

問 7.6 $10\,\Omega$ と $5\,\Omega$ の抵抗を並列に接続した部分の合成抵抗は

$$\frac{1}{R} = \frac{1}{10} + \frac{1}{5} \text{ より，} R = \frac{10}{3} \fallingdotseq 3.33 \; (\Omega)$$

$12\,\Omega$ の抵抗に加わる電圧は

$$V_2 = \frac{12}{12 + (10/3)} \times 12 \fallingdotseq 9.39 \; (\text{V})$$

並列接続部分に加わる電圧は　　$V_2 = 12 - 9.39 = 2.61 \; (\text{V})$
$12\,\Omega$ の抵抗を流れる電流は　　$I = 9.39/12 \fallingdotseq 0.783 \; (\text{A})$
$5\,\Omega$ の抵抗を流れる電流は　　$I_1 = 2.61/5 \fallingdotseq 0.522 \; (\text{A})$
$10\,\Omega$ の抵抗を流れる電流は　　$I_2 = 2.61/10 = 0.261 \; (\text{A})$
$$(I = I_1 + I_2 = 0.783 \; (\text{A}))$$

問 7.7 略

問 7.8

(1) ニクロム線が温まっていないときにはバネのように弾力（復元力）がある．

(2) 交流電流なので周期的に電流が流れたり流れなかったりしている．

(3) コイル状に巻かれたニクロム線を隣合う線には同じ方向に流れる．

(4) 隣合う線には周期的に互いに引き合う強制力が加わる．以上の理由で，電流が流れはじめたときにはニクロム線が振動する．温まって弾力がなくなると，復元力がなくなるので，音も止まる．

問 7.9

(1) 隣合う電線には互いに逆方向に電流が流れている（単相交流の場合，3相交流の場合，120°互いに位相がずれた交流電流が流れる）．

(2) 電線には斥力が働く．

(3) 電線には鉛直下向に重力が働き，復元力を与える．このため，電線に周期的に振動を起こす強制力が働くようになる．

問 7.10 棒磁石を用意し，ガラス管などに数十回電線を巻き，管の中を棒磁石を落下させて信号をオシロスコープで観察してみよ．落下させる高さを変えるとか，

落下させる極を逆にして，信号の大きさとか，信号の向きを観察してみよ．

問 7.11 $B=\mu H=1.0\times10^{-4}$Wb/m^2, $V=720$ km/h$=200$ m/s, $L=30$ m より
$$|E|=VLB=200\times30\times1.0\times10^{-4}=0.6 \text{ (V)}$$

（地球の周りに親子衛星を打ち上げ，親子衛星の間をワイヤーで結び，題意のような原理を利用して発電をしようとする計画が立てられている．この方法の特徴は太陽光の有無に関係なく発電できることである）

さくいん

あ
アスピレーター	64
圧電気	133
圧電素子	133
圧力	8, 43
アルキメデスの法則	53
アルコール温度計	91
α 線	158, 159
α 崩壊	159

い
位置	19
位置エネルギー	40, 59
一次電池	131
遺伝障害	162
in vitro method	169
in vivo method	169
引力	16

う
ヴェンチュリ管	62
嘘発見機（ポリグラフ）	127, 129
運動エネルギー	40, 59
運動の法則	23, 24
運動量	12, 30, 31, 33
——の変化	32
運動量保存の法則	34

え
永久磁石	136
液体	92
SI 単位系	8
X 線	75, 82
N 型半導体	135
エネルギー	39, 59
——保存の法則	40
F ナンバー	84
円運動	25
遠視	86
遠心分離器	26
遠心力	26, 27, 57

お
凹レンズ	84
オートラジオグラフ	168
音	75
帯スペクトル	172
オームの法則	119
温度	8, 87
温度計	88
音波	75

か
回折現象	80
角運動量	12
核磁気共鳴（NMR）	141
核分裂炉	167
核融合エネルギー	168
核力	155
可視光線	80
加速度	8, 20, 23, 26
滑車	15
過熱	95
カルシウム	170
干渉現象	80
慣性の法則	24, 30, 48
完全弾性衝突	34
乾電池	130
γ 線	75, 158, 159

き
気圧	43
気化熱	95
気体	92
気体定数	101
基底状態	175
基本単位	7
逆電圧効果	133
キャリー	14
吸収線量	164
急性障害	162
球面波	79
キュリー（Ci）	163
凝固	93
強磁性体	139
凝縮	93
共振回路	149
強制対流	98
共鳴吸収	175
虚像	84
距離	7
霧吹き	64
キルヒホッフの法則	178
近視	86
筋電計	128
筋電流	115

く
空気の屈折率	79
偶力	11
クオーツ	134
組立単位	8
グレイ（Gy）	164
クローン（C）	163

さくいん

――の実験 109
――の法則 110
クローン力 138

け
蛍光 172
軽水 167
血圧 66
血圧計 47
血圧測定 48
結合エネルギー 157
原子核 156
原子時計 7
原子力電池 135
原子炉 167

こ
向心力 26
――の反作用 57
高速中性子 166
高地トレーニング 46
光電効果 135
交流 116
抗力 16
合力 9
国際キログラム原器 8
国際メートル原器 7
国際放射線防護
　委員会（ICRP） 164
黒体放(輻)射 82
固体 92
こだま 77
ころがり摩擦係数 39
コンデンサー 112
――の容量 112

さ
最高血圧 66
再生ヘッド 148
最大許容線量 165
最大摩擦角 38

最低血圧 66
サイフォンの原理 68
殺菌灯 179
座標 19
サーミスタ温度計 91
サーモグラフィ 91
サーモグラム 91
作用・反作用の法則
　　24,31
3次元空間 20
三重点 94
3相交流 118
3態 19

し
時間 7
磁気 107
磁気量 138
仕事 8,35,36,39
仕事率 8
仕事量 35
磁束密度 144
実効値 118
実像 84
質量 8,23,24
質量欠損 156,158
質量数 156
質量中心 16
質量保存の式 60
指南車 107
シーベルト(Sv) 164
斜面 37
シャルルの法則 100
周期表 154
重心 16,17
重水 166
自由電子 119
周波数 8
自由落下 29,30,61

重力 16,28,36,48
重力加速度 28
腫瘍内照射 170
主量子数 175
ジュール熱 121
昇華 92
衝撃 33
常磁性体 139
照射線量 163
状態図 93
焦点距離 84
衝突 33,34
蒸発 93
静脈圧 50
初速度 29
心電計 127
心電流 115
振動数 73
振動の周期 71
振幅 74

す
水圧 45
水圧機 51,52
水銀温度計 90
水銀気圧計 44
水銀マノメーター 47
水流ポンプ 64
スカラー 10
スペクトル 81,171

せ
静圧 60
制御核融合 167
静止摩擦係数 39
静電気 126
赤外線 91,98
赤外線カメラ 91
絶対温度 100
絶対0度 89

さくいん

潜水病	45	
線スペクトル	171, 172	
潜　熱	94, 96	
全反射	83	
線膨脹率	99	
線量当量	164	

そ
- 双極子　　　　136
- 層　流　　　　58
- 速　度　　　8, 20, 21, 22

た
- 体　温　　　　104
- 体腔内照射　　170
- 体積抵抗率　　120
- 体膨脹率　　　100
- ダイポール　　136
- 太陽電池　　　134
- 対　流　　　97, 98
- 縦　波　　　74, 75
- 単位系　　　　7
- 担　架　　　　13
- 単極子　　　　136
- 単振動　　　　73
- 単相交流　　　118
- 炭素同定法　　170
- 断熱変化　　　102

ち・つ
- 力　　　　　　9, 23
- ――のモーメント 11, 17
- 遅発障害　　　162
- 中間子　　　　156
- 注射器　　　　53
- 中性子　　　　155
- 超音波　　　　71
- 超音波診断装置　77
- 直　流　　　　116
- 直列接続　　113, 123

て
- 対効果　　　　156
- 翼　　　　　　65
- 定滑車　　　　15
- 抵　抗　　　　8
- テ　コ　　　　13
- 電　圧　　　　8
- 電圧効果　　　134
- 電　位　　　　116
- 電位差　　　　118
- 電　界　　　　116
- 電　気　　　　107
- 電気ショック　129
- 電気振動　　　149
- 電気抵抗　　　119
- 電気マッサージ 129
- 電気メス　　　129
- 電　子　　　　155
- 電子ボルト　　157
- 電磁誘導　　　146
- 点　滴　　　　50
- 伝　導　　　　97
- 天然放射能　　163
- 電　場　　　　116
- 天　秤　　　　17
- 電　離　　　　175
- 電　流　　　8, 115
- 電　力　　　　121

と
- 動　圧　　　　60
- 動滑車　　　　15
- 透磁率　　　　138
- 等速円運動　　26
- 動摩擦係数　　39
- 凸レンズ　　　84
- トリチェリー(Torr) 43

な・に
- 鉛蓄電池　　　131

波	74
――の性質	76
――の谷	74
――の山	74
二次電池	131
ニュートンの冷却の法則	97

ね・の
- 熱　　　　　　87
- ――の仕事当量 102
- 熱運動　　　　89
- 熱エネルギー　40, 90
- 熱起電力　　　132
- 熱　線　　　　98
- 熱中性子　　　166
- 熱電対　　　91, 133
- 熱伝導率　　　97
- 熱平衡　　　　88
- 熱膨張　　　　90
- 熱　量　　　　88
- 粘　性　　　　58
- 粘性係数　　　58
- 粘性抵抗　　51, 66
- 年代測定　　　170
- 燃料電池　　　131
- 脳波計　　　　128

は
- パスカル(Pa)　43
- 波　長　　　　74
- バックグラウンド放射線 163
- 発電器　　　　147
- 波　動　　　　74
- バネ定数　　　72
- 速　さ　　　21, 22
- 馬　力　　　　41
- パルス電流　　115
- 半減期　　　　158

さくいん

反作用	16	分圧	45	ま		
反磁性体	139	分光学	171	摩擦	37,58	
反射望遠鏡	25	分光分析	176	摩擦係数	37,39	
反発係数	34	へ		摩擦電気	108	
万有引力	16,27,29,48	平均加速度	21	摩擦力	37	
万有引力定数	27	平行平板コンデンサー	112	マノメーター	46	
ひ		平面波	79	マンシェット	48	
ビオ-サバールの法則	140	並列接続	112,122	慢性障害	162	
P型半導体	135	ヘクトパスカル(hPa)	43	み・む		
光高温計	84	ベクトル	10,22	右ネジ	11	
光のエネルギー	174	──の合成	10	水の三重点	8	
ピーク値	118	ベクレル(Bq)	163	耳温計	88	
比透磁率	138	ペースメーカー	129	ミリバール(mb)	43	
ピトー管	63	β線	158,159	無重力	49	
比熱比	102	β崩壊	159	無重力状態	57	
被曝量の許容値	164	ベルヌーイの定理	59,60,61	め・も		
皮膚電気反射測定装置	129	変圧器	147	眼	84	
比誘電率	110	ほ		メーザー(MASER)	172	
避雷針	125	ボイル-シャルルの法則	101	面積速度	13	
ふ		ボイルの法則	101	モノポール	136	
ファラデーの法則	144	放射	97,98	ゆ・よ		
フォルタンの気圧計	44	放射性元素	154,159	油圧ジャッキ	51	
負荷	121	放射線障害	161	油圧装置	51	
沸点	94	放射性同位元素	165	融解	93	
沸騰	94	放射性ヨウ素	169	融解熱	94,96	
プランクの定数	174	放射線量の単位	163	融点	94	
プランクの熱放射式	178	放射能	159,163	誘電率	110	
振り子	71	放射冷却現象	99	誘導起電力	144	
──の等時性	71	放物運動	30	誘導放射	172	
浮力	53,54	放物線	61	与圧	45	
ブルドン管	50	飽和蒸気圧	94	陽子	155	
フレミングの左手の法則	142	ホットパック	130	様態,3つの	19	
		ポリグラフ	127,129	揚力	65	
フレミングの右手の法則	145	ボルタの電池	130	横波	74	
				淀み点	63	
				ら・り		
				ライデン瓶	112	
				羅針盤	136	

ラド (rad)	164
乱視	86
力学エネルギー	40
力積	32
理想気体	101
リドベルグ定数	175
リハビリテーション	57
硫化鉛 (PbS)	136
硫化カドミウム (CdS)	136
流管	59
流線	59
流速	58
流速分布	58
流体	53
流量一定の式	60
リン	169
臨界角	83
燐光	172
輪軸	15

れ・ろ

励起状態	175
レーザー (LASER)	172
レーザー光	83, 172
レーザーメス	83
レチノグラフ	129
レム (rem)	164
レンズの公式	84
連続スペクトル	172
レンツの法則	144
レントゲン (R)	163
レントゲン写真	82
老眼	85

人名

アインシュタイン (A. Einstein)	136, 156, 177
ガリレイ (G. Galilei)	2
ガルバーニ (L. Galvani)	130
カルマン (T. von Karman)	57
キュリー夫人 (M. S. Curie)	154
ギルバート (W. Gil'bert)	108
クーロン (C. A. Coulomb)	109, 111
サバール (F. Savart)	140
シュトラスマン (F. Strassmann)	166
ジュール (J. P. Joule)	102, 104
ダ・ヴィンチ (Leonar'do da Vin'ci)	65
トリチェリー (E. Torricel'li)	44
ニュートン (I. Newton)	2, 25
パスカル (B. Pascal)	46
バルマー (J. J. Balmer)	173
ハーン (O. Hahn)	166
ビオ (J. B. Biot)	140
ファラデー (M. Faraday)	107, 144, 147
フェルミ (E. Fermi)	166
ブラウン (K. F. Braun)	87
プランク (M. Planck)	173
フランクリン (B. Franklin)	125
ペラン (J. B. Perrin)	87
ヘルツ (G. H. Hertz)	107
ベルヌーイ (D. Bernoulli)	57
ボーア (N. H. D. Bohr)	173
ボルタ (A. G. A. A. Volta)	130
ボルツマン (L. D. Boltzmann)	87
マクスウェル (J. C. Maxwell)	107
ミュセンブレック (P. van Musschenbroek)	111
レントゲン (W. K. Roentogen)	82
ローレンツ (H. A. Loentz)	107

〈著者紹介〉

よこ た   とし あき
横 田　俊 昭

1966年　広島大学大学院理学研究科博士課程中退
現　在　愛媛大学名誉教授・理学博士
専　攻　プラズマ分光学，微粒子プラズマ

看護と医療技術者のための **ぶ つ り 学　第2版** 1993年 3月20日　初　版 1 刷発行 2003年 3月10日　初　版 7 刷発行 2003年12月25日　第 2 版 1 刷発行 2016年 2月25日　第 2 版15刷発行 検印廃止 NDC 420，492.9 ISBN 978-4-320-03425-9	著　者　横 田　俊 昭　 ⓒ 2003 発　行　共立出版株式会社／南條光章 　　　　東京都文京区小日向 4 丁目 6 番19号 　　　　電話　（03）3947-2511番（代表） 　　　　郵便番号 112-0006 　　　　振替口座 00110-2-57035番 　　　　URL　http://www.kyoritsu-pub.co.jp/ 印　刷　星野精版印刷 製　本　ブロケード NSPA　一般社団法人 　　　　自然科学書協会 　　　　会員 Printed in Japan

JCOPY ＜出版者著作権管理機構委託出版物＞
本書の無断複製は著作権法上での例外を除き禁じられています．複製される場合は，そのつど事前に，
出版者著作権管理機構（ＴＥＬ：03-3513-6969，ＦＡＸ：03-3513-6979，e-mail：info@jcopy.or.jp）の
許諾を得てください．

物理学の諸概念を色彩豊かに図像化！ ≪日本図書館協会選定図書≫

カラー図解 物理学事典

Hans Breuer［著］　Rosemarie Breuer［図作］
杉原　亮・青野　修・今西文龍・中村快三・浜　満［訳］

ドイツ Deutscher Taschenbuch Verlag 社の『dtv-Atlas 事典シリーズ』は、見開き2ページで一つのテーマ（項目）が完結するように構成されている。右ページに本文の簡潔で分かり易い解説を記載し、左ページにそのテーマの中心的な話題を図像化して表現し、本文と図解の相乗効果で、より深い理解を得られように工夫されている。これは、類書には見られない『dtv-Atlas 事典シリーズ』に共通する最大の特徴と言える。本書は、この事典シリーズのラインナップ『dtv-Atlas Physik』の日本語翻訳版であり、基礎物理学の要約を提供するものである。
内容は、古典物理学から現代物理学まで物理学全般をカバーし、使われている記号、単位、専門用語、定数は国際基準に従っている。

【主要目次】　はじめに(物理学の領域／数学的基礎／物理量，SI単位と記号／物理量相互の関係の表示／測定と測定誤差)／力学／振動と波動／音響／熱力学／光学と放射／電気と磁気／固体物理学／現代物理学／付録(物理学の重要人物／物理学の画期的出来事／ノーベル物理学賞受賞者)／人名索引／事項索引…■菊判・ソフト上製・412頁・本体5,500円（税別）

ケンブリッジ 物理公式 ハンドブック

Graham Woan［著］／堤　正義［訳］

『ケンブリッジ物理公式ハンドブック』は，物理科学・工学分野の学生や専門家向けに手早く参照できるように書かれたハンドブックである。数学，古典力学，量子力学，熱・統計力学，固体物理学，電磁気学，光学，天体物理学など学部の物理コースで扱われる2,000以上の最も役に立つ公式と方程式が掲載されている。
詳細な索引により，素早く簡単に欲しい公式を発見することができ，独特の表形式により式に含まれているすべての変数を簡明に識別することが可能である。オリジナルのB5判に加えて，日々の学習や復習，仕事などに最適な，コンパクトで携帯に便利なポケット版（B6判）を新たに発行。

【主要目次】　単位，定数，換算／数学／動力学と静力学／量子力学／熱力学／固体物理学／電磁気学／光学／天体物理学／訳者補遺：非線形物理学／和文索引／欧文索引
■B5判・並製・298頁・本体3,300円（税別）■B6判・並製・298頁・本体2,600円（税別）

（価格は変更される場合がございます）

共立出版　　http://www.kyoritsu-pub.co.jp/